D1229096

# CULTURE CODES

www.editions-jclattes.fr

Clotaire Rapaille

# CULTURE CODES

## Comment déchiffrer les rites de la vie quotidienne à travers le monde

*Traduit de l'anglais par Jean-Sébastien Stehli*

JC Lattès

17, rue Jacob 75006 Paris

Titre de l'édition originale
THE CULTURE CODE
publiée par Broadway Books, New York

Pour l'éditeur, le principe est d'utiliser des papiers composés de fibres naturelles, renouvelables, recyclables et fabriquées à partir de bois issus de forêts qui adoptent un système d'aménagement durable.
En outre, l'éditeur attend de ses fournisseurs de papier qu'ils s'inscrivent dans une démarche de certification environnementale reconnue.

ISBN : 978-2-7096-2903-4


Première édition avril 2008.

*Je dédie ce livre au G.I. perché sur son tank, qui m'a donné du chocolat et du chewing-gum deux semaines après le débarquement, et qui a changé ma vie pour toujours.*

« Un des handicaps du $XX^e$ siècle est que nous n'avons encore qu'une idée vague et préconçue de ce qui fait du Japon une nation de Japonais mais aussi de ce qui fait des États-Unis une nation d'Américains, de la France une nation de Français et de la Russie une nation de Russes... Sans cette connaissance, aucun de ces pays n'est capable de comprendre l'autre. »

Ruth Benedicte,
*The Chrysanthemum and the Sword*

« Nous sommes tous des marionnettes et notre espoir pour jouir ne serait-ce que d'une liberté partielle est d'essayer de décrypter la logique du marionnettiste. »

Robert Wright, *The Moral Animal*

# AVANT-PROPOS

J'ai deux fils. Un Français et un Américain. Tous les jours, je suis confronté aux Codes culturels de mes enfants, aux deux cultures qui les ont vus naître.

Lorenzo, l'aîné, est né en France. Lorenzachio était mon héros quand j'étais adolescent, et Alfred de Musset représentait pour moi le fascinant romantisme du désespoir.

Dorian, le cadet, a passé les premières années de sa vie à Los Angeles. Dorian, comme Dorian Gray, d'Oscar Wilde, que j'ai toujours admiré pour son dandysme, son anticonformisme, son talent et son intelligence. Il entretenait une relation particulière et critique avec l'Amérique. Quant à la France, elle fut sa dernière retraite après les prisons anglaises.

Relire Musset ou Wilde nous offre des clins d'œil sur la France, l'Amérique, l'Angleterre, l'Italie. C'est l'intuition des poètes. Leur sensibilité souvent vive et douloureuse rend évident ce qui souvent nous échappe.

J'ai toujours été du côté de ceux qui doivent lutter contre les préjugés, et qui n'ont d'autre refuge que leur art, leur talent, leur créativité. Moi aussi j'ai dû combattre les préjugés, et les jalousies. Les questions étaient toujours les mêmes : sa théorie est-elle scientifique ? Quelle est sa méthode ? N'avons-nous pas affaire à un charlatan. Petit à petit, la reconnaissance est venue, à travers une série d'articles. Je suis devenu le « numéro un de la créativité » pour la revue *Psychologie*, le « pape de la créativité » pour *Les Informations*, et le « pape de la communication » pour la revue *Stratégie*. Mais ma vie n'était pas là. J'étais fait pour la découverte. La découverte des cultures du monde. Je croyais profondément que beaucoup de réponses étaient là sous nos yeux, mais que nous ne savions pas les lire. Il nous manquait « le code ». J'ai alors étudié la vie des découvreurs, Pasteur, Marie Curie, mais surtout Champollion. Comprendre ce qui est sous nos yeux et que personne n'arrive à voir. Les forces inconscientes qui, tel un champ magnétique, préorganisent nos pensées, nos réactions, nos comportements, nos jugements. Ces forces créent une structure collective, l'Archétype Culturel. J'avais trouvé ma mission, « décoder les cultures ».

En choisissant de vivre dans deux cultures différentes, je n'ai pas dilué mon identité culturelle, je l'ai renforcée. Quand je dis qu'aux États-Unis, le code du sexe, c'est la violence, il y a généralement un silence, le temps de digérer, puis l'auditoire intègre l'idée, et finit par la comprendre.

Un Français, un Américain, cela ne peut pas s'expliquer par un code, même si la simplification est séduisante. Affirmer que les Français pensent trop et n'agissent pas assez, et que les Américains sont fascinés par l'action à tout prix, sans beaucoup penser, est trop simpliste.

Mes deux enfants, bien sûr, ont offert à ma réflexion des travaux pratiques. Chacun à sa façon amplifie ses archétypes culturels. Dorian n'est intéressé que par l'action, il pratique tous les sports extrêmes, prend trop de risques et me donne beaucoup de soucis. Lorenzo est un penseur, poète meurtri, tous les jours engagé contre les injustices et auteur de plusieurs livres de poésie.

Leur réaction à la culture de l'autre est aussi cohérente avec leurs codes réciproques.

Au début Lorenzo était très enfantin. L'Amérique c'était Disney world, Mac Do et Coca-cola. Il était mon petit prince : « Papa dessine-moi un Américain. » Puis après il a commencé à me poser des questions plus pressantes. Du genre : Pourquoi as-tu choisi de vivre aux États-Unis ? Puis avec l'âge, il est entré en politique : Tu ne peux pas être pour la guerre. J'ai bientôt eu droit à tous les clichés et stéréotypes disponibles.

Dorian, quant à lui, n'aimait que les États-Unis. Chaque fois qu'il était en France il voulait rentrer, « *let's go home* » était son leitmotiv. J'ai essayé de lui montrer le pouvoir des idées, la beauté de Paris, le Louvre, mais lui ne voyait que les grèves (ne pas faire). La France est une culture où quand on clame « passons à l'action », on veut dire « faisons grève » :

ce qui signifie imposons la non-action. Et ne pas pouvoir « faire » est très difficile pour Dorian.

Quant à Lorenzo, il avait toujours une explication qui tenait en un mot : c'est le système qu'il faut changer, c'est l'argent qui est le problème, les riches, le capitalisme, les Américains.

J'ai alors réalisé combien la tâche était difficile. Si je n'arrivais pas à expliquer à mes propres enfants, au-delà des clichés et des stéréotypes, pourquoi la France et l'Amérique ont deux systèmes de codes différents, comment allais-je faire avec les journalistes, le public ? Comment expliquer aux intellectuels français, aux sceptiques, qu'il existe bien un code culturel inconscient et que ce code justifie les réactions, les perceptions du monde, les modes de penser.

Il y a quelques années une société française, Biomerieux, m'a demandé de venir à Lyon, et d'expliquer les Américains. Ils venaient de racheter une société à St Louis aux USA, Vitek, et voulaient améliorer leur management. J'ai accepté avec plaisir. Je me suis retrouvé dans un immense amphithéâtre. Les Français avaient invité quelques managers américains de St Louis, comme pour tester leurs réactions. J'ai alors parlé des tensions qui constituent les forces culturelles, en expliquant qu'il y a toujours deux camps en opposition. Les Américains se méfient des intellectuels, ils préfèrent ceux qui agissent, pas ceux qui pensent. Et souvent ils s'engagent dans l'action sans en avoir mesuré toutes les conséquences (voir la guerre en Irak). Ok, le show était facile, mais si les Français approuvaient, les Américains riaient, comme s'ils se reconnaissaient. J'ai alors présenté le code américain. Ils sont tous venus me féliciter à la fin. Ils m'ont demandé de venir faire la même chose à St Louis, de venir parler des Français aux Américains, d'expliquer le code français au management US.

Je me suis alors retrouvé dans une situation très différente. Les Américains avaient tous vécu et expérimenté les forces dont je parlais. Mais ils riaient discrètement, presque gênés. J'ai expliqué l'importance de la critique, du désaccord, de la remise en question, qu'être « pour » est suspect, qu'il faut montrer son libre arbitre. À la fin de ma présentation, un Français s'est levé et a déclaré : « Très intéressant, mais je ne suis pas du tout d'accord.... » Ce à quoi j'ai répondu : « Merci de m'apporter la preuve de ce que je voulais démontrer. »

Conseils au président des Français :

Comme j'essayais d'expliquer les codes français à Dorian, l'actualité vint à mon secours. Sarkozy veut mettre la France au travail. Quand il dit aux Français : « arrêtez de penser et passez à l'action », il va contre le code culturel français, où l'action c'est la grève et le sabotage. Alors Sarkozy devient « L'Américain ». Il choisit ses ministres non pas en fonction de leur idéologie, mais de ce qu'ils peuvent faire. Un Américain hyperactif, qui n'a pas peur de rentrer dans le clan des people, d'aller en vacances aux États-Unis, de voyager en jet privé, et de s'afficher avec une star. La provocation en France c'est bien, à condition d'être Bonaparte, et non pas Marie-Antoinette. On est passé d'un personnage de roman (Mitterrand) à un personnage de série télé américaine.

Est-ce que ça va marcher ?

Oui, à condition d'adapter le message au code français ? Comment ?

Non, il ne faut pas mettre les Français au travail ; cela voudrait dire qu'ils ne travaillent pas. (Les Français sont les premiers à vous déclarer qu'ils sont très efficaces et ont beaucoup moins d'heures de grève qu'on le dit.) Le modèle qui entre dans le code, c'est L'IDÉE, la grande idée. Une certaine idée de la France disait de Gaulle. Louis XIV notre premier expert en marketing, avec l'aide de Colbert, a créé une image de la France que toute l'Europe a voulu acheter et copier. Il a compris l'importance des symboles. Du « Soft power ». Versailles, le roi Soleil, les fêtes, le style, l'élégance, le savoir-faire, autant d'éléments constitutifs de la marque France. À l'époque c'est la France qui avait la meilleure image, celle qui faisait rêver l'Europe. Colbert a suivi avec les produits, les tapisseries, les meubles, le champagne, les parfums, la mode, tout ce qui aujourd'hui encore est associé au prestige de la France.

Quelle est la contribution de la France à un monde de plus en plus global ? Il y a le « hard », c'est-à-dire les produits, l'argent, les armes, la technologie. Ce n'est pas là notre force. La force ne réside pas dans ce que l'on a, mais ce que l'on fait avec ce que l'on a. Ce qui signifie le « soft ». Le succès se trouve dans la valeur soft ajoutée, la dynamique symbolique que Louis XIV avait bien comprise. La puissance aujourd'hui réside dans les codes culturels. Il y a ceux qui ont des codes créateurs de richesse, et ceux qui sont aujourd'hui empêtrés dans la distribution des richesses qu'ils n'arrivent plus à produire.

Le message du président Sarkozy ne devrait pas être travailler plus. La question qui suit devient alors « pourquoi travailler plus ? ». Pour enrichir les grosses entreprises ? Pour que les riches deviennent plus riches ? Travailler pour travailler n'est pas dans le code français. Trop vulgaire. Mais travailler pour montrer son talent au monde et reprendre sa place de leader dans le monde du savoir, de l'élégance, du style, des idées brillantes et provocantes, des découvertes scientifiques, de la médecine, de l'art... Voilà une mission digne de la France.

Mettre la France au travail, c'est un moyen, mais redevenir leader dans un certain art de vivre, c'est un but. Louis XIV avait une idée de l'image de la France qu'il voulait promouvoir dans le monde. Sarkozy se doit d'avoir une idée, une mission, une vision, pour mobiliser les Français. Entre l'avenue Montaigne et les grèves, entre le style et l'arrogance, il faut choisir.

Le manager de la marque France doit mobiliser les Français pour qu'ils redeviennent les défenseurs passionnés de leur Code culturel, les visionnaires de la contribution unique que la France se doit d'apporter au monde de la globalisation. Ce n'est pas un projet de civilisation. Il ne convient plus de dire aujourd'hui qu'il y a les peuples civilisés d'un côté, et ceux qui ne le sont pas de l'autre, même si les Français considèrent souvent qu'ils sont les seuls à l'être. Non il s'agit de culture. D'une culture faite de solutions de survie accumulées par les générations précédentes et dont j'ai hérité à la naissance. C'est ce qui fascine Dorian quand il vient en France, le boudin noir, les andouillettes, les tripes. Ça aussi ça fait partie du code de la France, c'est l'art de la France. L'importance du village, parce qu'on ne peut pas être global sans avoir un village d'origine. La France doit être fière de ses appellations d'origine, de Camembert, de pont l'Évêque, de la dentelle d'Alençon, des tripes de Caen, des andouillettes de Vire. La liste est longue. Il faut être fier de son village d'origine. La France se doit de retourner au pays. Retourner au pays ça ne veut pas dire retourner en France, mais retourner dans son village. Les Américains parlent toujours de « *go back home* ». Voilà encore un mot très simple qui ne se traduit pas. Tout comme retourner au pays. *Home* et Pays sont deux éléments des codes culturels français et américain. C'est le terroir qui peut s'exporter, et avec lui ce morceau d'identité culturelle qui réactive nos attaches. Là se trouve le code du « luxe » de demain, ce n'est pas le luxe de l'argent, mais le luxe de la simplicité retrouvée qui résonne en profondeur avec nos codes les plus intimes. Voilà un domaine où la France est naturellement leader.

Les succès politiques appartiennent à ceux qui ont su, parfois inconsciemment, faire entrer en vibration ces codes inconscients. Bill Clinton est un adolescent qui saute sur tout ce qui bouge, et n'hésite pas à mentir sous serment. Les Américains l'adorent et l'auraient élu une troisième fois si cela avait été possible. Sarkozy est le Napoléon d'aujourd'hui, avec ses femmes, ses ministres comme des généraux, sachant donner des titres aux plus jeunes, voulant tout faire, tout organiser, et conquérir le monde.

Hillary c'est la revanche des femmes, humiliées, trompées, mais qui restent au côté de leur mari. Sa mission est de remettre Bill à la Maison Blanche, la dynastie Clinton contre le clan Bush. Battre les Bush sur la durée à la Maison Blanche. Trois fois quatre ans pour Bush, deux fois huit pour les Clinton. Un total de vingt-huit années de pouvoir.

Mais saura-t-elle convaincre qu'une première femme président, c'est plus important que le premier Noir ? Bien sûr, ce n'est pas vraiment une femme, et il n'est pas vraiment noir.

Une erreur de code et vous êtes out. John Kerry, trop sophistiqué, trop intellectuel, élevé en Suisse, avec une femme qui parlait cinq langues, cela n'entre pas en résonance avec l'Amérique profonde. En revanche, et les sondages l'ont prouvé, il aurait été élu en France.

Ségolène n'aurait pas dû suggérer de voter pour elle parce qu'elle était une femme. Montrez-moi vos idées, votre façon de penser. En France être une femme n'est pas suffisant.

Hillary, qui ne porte jamais de jupe, veut faire oublier qu'elle en est une. Car les Américains n'ont jamais élu une femme à la présidence. Mais ils ont très peur d'une femme homme, machiavélique, capable de tout pour le pouvoir.

Obama n'est pas vraiment noir, Hillary pas vraiment une femme, Bill est plus noir qu'Obama (le premier président noir). Obama est trop doux, Hillary trop dure. Quand elle joue le jeu de l'émotion et fait semblant de pleurer, elle gagne le New Hampshire.

Le Code des cultures est partout, et conditionne tout ce que nous faisons, il nous aide à comprendre l'histoire, les relations entre l'Amérique et la France. Des hommes comme Benjamin Franklin et Thomas Jefferson avaient un grand sens des codes culturels français. Benjamin, qui représentait l'Amérique en France, n'avait pas beaucoup de cheveux, mais beaucoup de petites amies françaises. Il a réussi à convaincre la France de venir aider les Américains à apporter son soutien à Washington, contre les Anglais. Un peu plus tard, Thomas Jefferson a aussi réussi à convaincre Napoléon qui avait besoin d'argent de lui vendre la Louisiane pour une bouchée de pain. C'était à l'époque un immense territoire qui a doublé la taille des États-Unis.

J'aimerais que ce petit livre aide mes enfants à mieux se comprendre, en leur donnant comme nouvelle paire de lunettes les codes culturels.

Si à la fin, Lorenzo a envie de connaître davantage l'Amérique, et Dorian la France, j'aurai réussi. Ils se situeront alors dans la lignée de ceux qui ont beaucoup aimé la France et qui étaient américains, Thomas Jefferson était de ceux-là, et de ceux qui ont beaucoup aimé l'Amérique et qui sont français, tels La Fayette et Tocqueville.

Cela ne veut pas dire qu'ils ne voient pas les faiblesses de chaque communauté. Forces et faiblesses existent dans toutes les cultures. Dans ce livre je voudrais vous montrer que chaque culture a une contribution à apporter au monde et à l'humanité. Chaque culture doit être fière de son dynamisme, de son mouvement, et de ses contradictions.

Enfin je crois que chaque culture a des droits, le droit de se préserver, de se protéger, de se deviner, de conserver son identité et ses codes. C'est la raison pour laquelle j'ai écrit le 1er janvier de l'an 2000 une sorte de manifeste pour « le droit des cultures ».

La critique est le sport national des Français. Cette énergie peut être transformée en énergie positive et libérer l'énergie nécessaire pour créer un monde meilleur. Tout cela peut sembler bien enfantin et boy scout. En 1968 on pouvait lire sur les murs : quand les choses ne sont pas impossibles, on peut les faire. Lorenzo et Dorian m'ont proposé « pourquoi pas ? ».

Dorian est fier de son père parce qu'il travaille dans une société active dans le monde entier, Lorenzo parce qu'il a écrit plusieurs livres. Chacun a son système de référence, différent de l'autre. L'idéal est peut-être une combinaison des deux. Dorian parle français, Lorenzo apprend l'anglais. Mes deux fils représentent l'avenir de nos deux cultures et sont pour moi le futur.

J'espère qu'un jour, comme Thomas Jefferson et La Fayette, ils se retrouveront à Monticello et boiront quelques bonnes bouteilles de bordeaux et seront fiers de leur amitié. De leurs cultures réciproques et du modèle qu'elles peuvent inspirer aux cultures du monde afin de leur apprendre à se comprendre, se connaître, se respecter, et à s'aimer au-delà de leurs différences et de leurs codes culturels.

Février 2008

# INTRODUCTION

Pour les Américains, c'est un galop. Pour les Européens, c'est une marche. Pour Jeep, ce fut une percée.

À la fin des années 1990, la Jeep Wrangler avait du mal à retrouver sa place sur le marché américain. Longtemps seule dans sa catégorie, elle était maintenant supplantée par un grand nombre de 4 × 4, qui étaient, pour la plupart, plus grands, plus luxueux, et mieux adaptés aux besoins des parents. Chrysler était arrivé à la croisée des chemins avec la Wrangler et commençait à réfléchir sérieusement à une importante restructuration.

Lorsque j'ai commencé à travailler avec Chrysler sur la Jeep Wrangler, à la fin des années 1990, le management de l'entreprise était légitimement dubitatif sur ma méthode pour comprendre les préférences des consommateurs. Ils avaient réalisé de vastes études de marché et avaient posé des centaines de questions à des dizaines de panels de consommateurs. Lorsque j'ai débarqué avec des approches différentes, ils se sont dit : « Qu'est-ce que ce type va nous apprendre que nous ne sachions déjà ? »

Les gens de Chrysler avaient effectivement posé des centaines de questions, seulement ils n'avaient pas posé les bonnes. Ils écoutaient ce que les gens disaient. C'est toujours une erreur. Ils avaient donc des théories sur tout ce qu'il fallait modifier pour la Wrangler (plus luxueuse, plus comme une voiture traditionnelle, sans portes amovibles, fermée plutôt que décapotable, etc.), mais ils n'avaient pas de chemin à suivre. La Wrangler – la Jeep grand public classique – était sur le point de perdre sa place à part dans l'univers automobile et de devenir un banal 4 × 4.

Lorsque j'ai réuni des groupes de consommateurs, je leur ai posé des questions différentes. Je ne leur ai pas demandé ce qu'ils voulaient dans une Jeep. Mais je leur ai demandé de me raconter leurs premiers souvenirs des Jeeps. Ils m'ont raconté des centaines d'histoires et une image forte revenait dans tous ces récits – les grands espaces, la liberté d'aller là où les voitures ordinaires ne pouvaient pas se rendre, être libérés des contraintes de la route. Beaucoup parlaient de l'Ouest américain ou des grandes plaines.

Je suis retourné voir les responsables de Chrysler qui étaient méfiants et je leur ai dit qu'aux États-Unis, le Code pour la Jeep était LE CHEVAL. Leur idée de faire de la Wrangler juste un autre 4 × 4 était mal inspirée. Les tout-terrain ne sont pas des chevaux. Les chevaux n'ont pas de luxueux accessoires. Ils n'ont pas de cuir tendre comme du beurre, mais plutôt le cuir dur de la selle. La Wrangler devait avoir des portes amovibles et un toit ouvert parce que ceux qui les conduisaient voulaient sentir le vent autour d'eux, comme s'ils montaient un cheval.

Les responsables n'étaient pas particulièrement convaincus. Après tout, ils avaient de vastes études de marché affirmant que les consommateurs souhaitaient autre chose. Peut-être que, par le passé, les gens voyaient la Jeep comme un cheval, mais ils ne voulaient plus la considérer de cette manière aujourd'hui. Je leur ai demandé de tester ma théorie en faisant quelques ajustements mineurs au design de la voiture : remplacer les phares carrés par des ronds. Pourquoi ? Parce que les chevaux ont des yeux ronds et non carrés.

Quand on découvrit qu'il était plus économique de construire la voiture avec des phares ronds, la décision fut plus facile à prendre. Ils testèrent le nouveau design et la réponse fut immédiatement positive. Les ventes de Wrangler grimpèrent et son nouveau « visage » devint son trait le plus proéminent et le plus vendeur. Depuis, le logo de la voiture a incorporé sa grille et ses phares ronds. Il y a même des clubs de fans de Jeep qui distribuent à leurs membres des T-shirts portant l'inscription : « Les vraies Jeeps ont des phares ronds. »

En même temps, l'entreprise commença à vendre le modèle comme « un cheval ». Ma pub favorite montre un enfant dans la montagne avec un chien. Le chien tombe d'une falaise et reste accroché de manière précaire à un arbre. Le gamin court jusqu'au village pour chercher de l'aide. Il passe des berlines, des minivans et des 4 × 4 avant de rencontrer une Wrangler. La Wrangler escalade la montagne et son conducteur sauve le chien. Le gamin embrasse le chien, puis il se tourne pour remercier le conducteur – mais la Jeep est déjà en train de redescendre, comme ces héros des vieux westerns qui s'en vont sur leur monture, dans le soleil couchant. La campagne fut un triomphe.

Enhardi par son succès américain, Chrysler m'a engagé pour découvrir le Code pour la Wrangler en Europe. En France et en Allemagne, les consommateurs ont répondu que la Wrangler leur rappelait les Jeeps que les troupes américaines conduisaient pendant la Seconde Guerre mondiale. Pour les Français, elle était le symbole de la Libération. Pour les Allemands, c'était le symbole de la libération de leur côté le plus noir. Les gens de ces pays me racontèrent de nombreuses fois que l'image de la Jeep leur donnait de l'espoir, leur rappelant des temps difficiles et le retour de jours meilleurs. Je suis retourné chez Chrysler et je leur ai dit que le Code pour la Jeep Wrangler dans ces deux pays était : LIBÉRATEUR.

Muni de cette information sur le Code, Chrysler a lancé de nouvelles campagnes en France et en Allemagne. Mais cette fois, au lieu de positionner cette voiture comme un cheval, ils mirent en avant le fier passé de la Jeep et la liberté conquise en conduisant une Wrangler. Ces campagnes ont été extraordinairement efficaces et ont augmenté les parts de marché de Wrangler dans ces deux pays.

Après cela, les responsables de Chrysler ne remirent plus en question mon approche. Ils appréciaient maintenant le pouvoir du Code culturel.

Pour Ritz-Carlton, la révélation est venue de manière inattendue, par le biais du... papier toilette. Lorsque j'ai commencé à être consultant pour cette entreprise, je les ai choqués en leur disant que pour améliorer le niveau de satisfaction de leurs clients, ils devaient commencer par les toilettes. Ils pensèrent, bien sûr, que je délirais, mais ils m'écoutèrent.

Si vous demandez à la plupart des gens pourquoi ils achètent tel papier toilette, ils disent : « Parce qu'il est doux et parce qu'il est en promotion. » Ils n'imaginent pas que le Code pour le papier toilette est tout sauf strictement utilitaire. Comme pour la Jeep, mon travail avec les consommateurs pour découvrir le Code du papier toilette révéla quelque chose de fort et d'inattendu sur la première impression des Américains sur un produit familier.

Pour un parent américain, l'apprentissage de la propreté est pris très au sérieux. Pour certains, c'est si essentiel qu'ils commencent peu de temps après le premier anniversaire de leur enfant. Et, quel que soit le moment où ils débutent, les parents font vivre une petite industrie de livres, de vidéos, et même de psychologues spécialisés sur le sujet (une controverse actuelle repose sur l'idée du bébé sans couches, qui pourrait être propre dès huit mois !). La propreté a des conséquences sociales importantes – sur l'invitation à jouer, sur les voyages en voitures et jusqu'à l'admission au jardin d'enfant. Il y a également, bien sûr, l'énorme sentiment de libération des pères et mères, lorsqu'ils réalisent qu'ils n'ont plus besoin de changer les couches.

Pour le petit Américain, cependant, la fin de l'apprentissage de la propreté déclenche une réponse différente. Lorsqu'il peut utiliser le papier toilette seul – ou, plus précisément, utiliser les toilettes et le papier seul – se produit une chose remarquable. L'enfant peut maintenant fermer la porte de la salle de bains, peut-être même la fermer à clé, et rejeter ses parents. Et, étonnamment, on le félicite pour cela. Ses parents sont fiers de lui car il n'a plus besoin d'eux. Ils sourient et applaudissent. Parfois, même, ils lui achètent des cadeaux.

Ce souvenir est totalement associé à l'utilisation du papier toilette plutôt qu'à celle des toilettes elles-mêmes. Les premières années, se servir du papier nécessite l'intervention d'un parent ou que ce parent soit assis à côté jusqu'à ce que l'enfant ait fini, pour l'essuyer. Ce n'est que lorsque l'enfant arrive à utiliser le papier toilette qu'il peut être libre derrière la porte de la salle de bains. Libre et sans culpabilité puisqu'il a le total soutien des figures d'autorité qui l'entourent.

Cette empreinte est si forte dans la culture américaine, que le Code culturel pour le papier toilette est INDÉPENDANCE.

Pour Ritz-Carlton, cela ouvrait une énorme opportunité de service dans la pièce de la maison (ou de la suite) qui symbolise l'intimité absolue et l'indépendance. Pourquoi ne pas avoir un téléphone dans la salle de bains ? Un carnet et un stylo pour prendre des notes ? Pourquoi s'arrêter là ? Pourquoi ne pas rendre la salle de bains confortable, spacieuse et indépendante de la suite ? Seulement fonctionnelle, la salle de bains est banale. Mais une salle de bains qui devient un refuge par rapport au monde, équipé et indépendant, est exactement dans le code. Et si vous regardez les maisons qui se construisent aujourd'hui dans les quartiers résidentiels, vous verrez la même chose. Les salles de bains sont de plus en plus grandes, et l'équipement considéré jadis comme du luxe est maintenant standard : baignoire encaissée, doubles lavabos, téléviseurs, prises de téléphone, et toujours, toujours, une porte pour tenir le monde à distance.

La raison ? Les Codes.

Le Code culturel est le sens inconscient que nous donnons à chaque chose – à une voiture, à certains aliments, à une relation, et même à un pays – à travers la culture dans laquelle nous avons été élevés. L'expérience américaine avec la Jeep est très différente de l'expérience française ou allemande parce que nos cultures ont évolué différemment (nous avons des souvenirs forts de la Frontière ; les Français et les Allemands ont des souvenirs forts de l'occupation et de la guerre). Les Codes – le sens que nous donnons à une Jeep au niveau inconscient – sont donc également différents. Les raisons à cela sont nombreuses (et je les décrirai dans le chapitre suivant), mais tout vient des mondes dans lesquels nous avons grandi. Il est évident pour tous que les cultures sont différentes les unes des autres. Mais les gens ne réalisent pas que cela nous conduit à traiter la même information de manière spécifique.

Mon voyage à la découverte des codes culturels a commencé au début des années 1970. À l'époque, j'étais psychanalyste à Paris, et mon travail clinique m'avait conduit aux travaux du grand scientifique Henri Laborit qui avait souligné le lien clair entre l'apprentissage et l'émotion, montrant que sans la seconde, le premier était impossible. Plus l'émotion est forte et plus l'expérience est retenue clairement. Pensez à l'enfant auquel ses parents disent d'éviter une poêle chaude sur la cuisinière. Ce concept est abstrait jusqu'à ce que l'enfant touche la poêle et qu'il se brûle. Dans ce moment émotionnellement intense de la douleur, l'enfant apprend ce que « chaud » et « brûler » veulent dire et il y a peu de chance qu'il l'oublie jamais.

La combinaison de l'expérience et de l'émotion qui l'accompagne crée quelque chose connu sous le nom d'empreinte, un terme d'abord utilisé par Konrad Lorenz. Une fois qu'une empreinte s'est produite, elle conditionne fortement notre processus de pensée et façonne nos actions futures. Chaque empreinte nous aide à devenir qui nous sommes. La combinaison de ces empreintes nous définit.

Une de mes empreintes personnelles les plus mémorables s'est produite lorsque j'étais petit garçon. J'ai grandi en France et, lorsque j'avais environ quatre ans, ma famille a reçu une invitation à un mariage. Je n'étais encore jamais allé à un mariage et je ne savais pas du tout à quoi m'attendre. Ce que j'ai découvert a été remarquable. Les mariages français ne ressemblent pas aux autres dans les cultures que je connais. L'événement a duré deux jours, presque entièrement passés autour d'une grande table commune. Les gens se levaient pour porter un toast.

Ils montaient sur la table pour chanter des chansons. Ils dormaient sous la table et même (je l'ai appris plus tard), ils se séduisaient sous la table. Il y avait toujours à manger. Les gens buvaient le trou normand, un verre de Calvados qui les aidait à digérer pour poursuivre les festivités. D'autres allaient simplement aux toilettes pour vomir afin de pouvoir continuer à manger. C'était une chose étonnante pour un enfant et cela a laissé une empreinte permanente en moi. Pour toujours, j'associerai mariages et excès gastronomiques. Et lorsque je suis allé pour la première fois à un mariage aux États-Unis, je fus surpris par son calme, en comparaison. Récemment, avec ma femme (qui a également grandi en France), nous avons organisé le genre de célébration sur plusieurs jours qui signifie « mariage » pour nous deux.

Chaque empreinte nous influence à un niveau inconscient. Lorsque le travail de Laborit a cristallisé cela dans mon esprit, j'ai commencé à l'incorporer dans mon travail clinique, à Paris, surtout consacré aux enfants autistes (Laborit m'avait conduit à la théorie selon laquelle les enfants autistes n'apprennent pas bien parce qu'ils n'ont pas les émotions pour cela). Le thème de l'empreinte a également constitué le fondement des conférences que je donnais à cette époque. Après l'une de ces conférences à l'université de Genève, le père d'un étudiant est venu me voir.

« Docteur Rapaille, j'ai peut-être un client pour vous », me dit-il.

Toujours intrigué par la possibilité offerte par un nouveau cas, je hochai la tête avec intérêt. « Un enfant autiste ? »

« Non, dit-il en souriant. Nestlé. »

À l'époque, concentré sur le travail clinique et universitaire, je comprenais à peine le mot « marketing ». Je n imaginais absolument pas ce que je pouvais apporter à une entreprise. « Nestlé ? Que puis-je faire pour eux ? »

« Nous essayons de vendre du café instantané au Japon, mais nous n'avons pas autant de succès que nous le souhaiterions. Votre travail sur l'empreinte pourrait nous être très utile. »

Nous avons continué à parler et cet homme me fit une offre très intéressante. Non seulement les termes financiers en étaient très avantageux, mais il y avait quelque chose de prometteur dans un projet comme celui-ci. À la différence de mon travail avec les enfants autistes, où les progrès sont douloureusement lents, cette proposition était une chance de tester rapidement les théories que j'avais développées sur l'empreinte et l'inconscient. C'était une opportunité trop intéressante pour la laisser passer. J'ai pris un congé sabbatique et me suis lancé dans ce nouveau projet.

Ma première rencontre avec les responsables de Nestlé et leur agence de publicité japonaise fut très instructive. Leur stratégie, qui, aujourd'hui, semble absurde, mais ne le paraissait pas tant que cela dans les années 1970, était d'essayer de convaincre les consommateurs japonais de délaisser le thé au profit du café. Pour avoir passé un peu de temps au Japon, je connaissais l'importance du thé pour cette culture, mais je n'avais aucune idée des émotions attachées au café. Je décidai de réunir plusieurs groupes de gens afin de découvrir l'empreinte de cette boisson. J'étais convaincu qu'il y avait là un message qui pourrait ouvrir une porte pour Nestlé.

Je structurai une séance de trois heures avec chacun des groupes. Pendant la première heure, j'ai adopté la personnalité d'un visiteur venu d'une autre planète, quelqu'un qui n'avait encore jamais vu de café et qui n'aurait aucune idée de la manière dont on « l'utilisait ». Je demandai de l'aide pour comprendre le produit, convaincu que leurs descriptions m'aideraient à comprendre ce qu'ils en pensaient.

L'heure suivante, je les fis asseoir par terre, comme les enfants d'école élémentaire. Je leur donnai des ciseaux et des piles de magazines pour faire des collages de mots sur le café. Le but était qu'ils me racontent des histoires avec ces mots qui me donneraient encore d'autres pistes.

Pendant la troisième heure, je fis allonger les participants sur le sol, avec un oreiller. Il y eut quelques hésitations parmi les membres de chaque groupe, mais je les persuadai que je n'étais pas complètement fou. Je mis de la musique douce et je leur demandai de se détendre. Je voulais calmer les ondes actives de leur cerveau, les amener au point d'apaisement juste avant le sommeil. Lorsqu'ils atteignirent cet état, je les emmenai dans un voyage à rebours, avant l'âge adulte, avant l'adolescence, lorsqu'ils étaient encore très jeunes. Arrivés à ce point, je leur demandai de penser à nouveau au café et de se remémorer leurs premiers souvenirs, la première fois qu'ils en avaient fait consciemment l'expérience, et leur souvenir le plus important (s'il était différent).

J'avais conçu cet exercice pour amener les participants à leur première empreinte du café et à l'émotion qui y était attachée. Mais, dans la plupart des cas, ce voyage ne mena nulle part. Ce que cela signifiait pour Nestlé était très clair. Alors que les Japonais avaient un lien émotionnel très fort avec le thé (ce que j'appris sans même le demander, dès la première heure des sessions), ils avaient, au mieux, une empreinte très superficielle du café. La plupart, en fait, n'avaient absolument aucun souvenir.

Dans ces circonstances, la stratégie de Nestlé pour arriver à faire passer ces consommateurs du thé au café était vouée à l'échec. Le café ne pouvait pas lutter avec le thé dans la culture japonaise avec une résonance émotionnelle si faible. Au contraire, si Nestlé souhaitait avoir du succès sur ce créneau, il fallait commencer par le commencement. Ils devaient donner un sens au produit dans cette culture, créer une empreinte pour le café chez les Japonais.

Armé de cette information, Nestlé a imaginé une nouvelle stratégie. Plutôt que de vendre du café instantané dans un pays voué au thé, ils créèrent des desserts pour enfants avec le parfum du café, mais sans caféine. La jeune génération adopta ces desserts. Leur première empreinte fut très positive, empreinte qu'ils conserveraient toute leur vie. Grâce à cela, Nestlé acquit une place très significative sur le marché japonais. Même si aucune marque ne réussira sans doute jamais à convaincre les Japonais d'abandonner le thé, les ventes de café – presque inexistantes en 1970 – approchent maintenant un demi-milliard de livres chaque année. Comprendre ce processus – et son lien direct avec les efforts marketing de Nestlé – leur a ouvert une porte sur la culture japonaise et a transformé un projet qui stagnait.

Cette expérience déclencha en moi quelque chose de plus important. La prise de conscience qu'il n'y avait pas d'empreinte pour le café au Japon me montra que l'acquisition de l'empreinte à un jeune âge avait un impact énorme sur les raisons d'agir des gens. En plus, le fait que les Japonais n'avaient pas une empreinte forte pour le café, alors que les Suisses (Nestlé est une entreprise suisse) en avaient de toute évidence une, a mis en lumière le fait que les empreintes varient de culture à culture. Si je pouvais accéder à la source de ces empreintes, si je pouvais, en quelque sorte, « décoder » les éléments de la culture pour découvrir les émotions et le sens qui leur sont attachés, j'apprendrais beaucoup sur le comportement humain et ses différences à travers la planète. Cela me mit sur la piste du travail de ma vie. Je suis parti à la recherche des Codes cachés dans l'inconscient de chaque culture.

Lorsqu'un homme et une femme ont un enfant, ils ont un petit humain plutôt qu'un oiseau, un poisson ou un alligator. C'est leur code génétique qui le dicte. Lorsqu'un Américain et une Américaine ont un enfant, ils ont un petit Américain. La raison n'est pas génétique. C'est parce qu'un Code différent – le Code culturel – est à l'œuvre.

Par exemple, « the sun » en français est le soleil, un nom masculin, et, pour les Français, un mot très identifié au Roi Soleil, Louis XIV. Les Français, qui enregistrent cette référence dès leur plus jeune âge, perçoivent le soleil comme masculin et, par extension, considèrent les hommes comme brillants et éclatants. De l'autre côté, les femmes sont identifiées à la lune, un nom féminin. La lune, évidemment, ne brille pas par elle-même ; elle réfléchit la lumière du soleil. On comprend beaucoup mieux la relation entre les Français et les Françaises à travers cette observation et en prenant conscience de la manière dont les enfants français reçoivent l'empreinte de ces mots.

Mais pour les Allemands, ces mots ont un sens presque inverse. Le soleil, *Die Sonne*, est féminin, et les Allemands croient que ce sont les femmes qui apportent la chaleur au monde, font pousser les choses et élèvent les enfants. Les hommes sont la nuit, l'obscurité, le côté lunaire. *Der Mond*, la lune, est un mot masculin. Encore une fois, cela dit énormément de choses sur la relation que les sexes ont entre eux dans cette culture et sur les rôles qu'ils jouent dans cette société.

La simple acquisition de mots comme « soleil » et « lune » peut déclencher des empreintes complètement opposées chez les Français et chez les Allemands. Par conséquent, chaque culture a une interprétation différente de ces mots – un Code différent. Lorsqu'on les rassemble, ces différents codes créent un système de références que les gens vivant dans une même culture utilisent sans en être conscients. Ces systèmes de référence guident chacune des cultures de manière très différente.

Une empreinte et son Code sont comme un cadenas et sa combinaison. Si vous avez les bons chiffres dans le bon ordre, vous pouvez ouvrir le cadenas. Le faire sur une large variété d'empreintes a de profondes implications. Nous pouvons ainsi répondre à l'une de nos questions les plus fondamentales : pourquoi agissons-nous comme nous le faisons ? Comprendre le Code culturel nous fournit un nouvel outil remarquable – une nouvelle paire de lunettes, si vous voulez, avec laquelle nous nous regardons ainsi que nos comportements. Cela change tout ce que nous voyons autour de nous. De plus, cela confirme ce que nous avions toujours soupçonné : malgré notre humanité commune, les gens autour du monde sont vraiment différents. Le Code culturel offre un moyen de comprendre de quelle manière.

Ce livre est le résultat de plus de trois décennies d'expérience de décodage des empreintes pour certaines des grandes entreprises de la planète. J'appelle ce processus de décodage une « découverte » – j'en ai accompli plus de trois cents – et j'ai vu ces découvertes mises en application pour le bénéfice de mes clients. Plus de la moitié des entreprises du Fortune 100 utilise mes services, et leur réponse à mes découvertes a validé la justesse de mon travail ; elle a assuré que les lunettes que j'ai créées, les lunettes du Code culturel, offrent une vision nouvelle et claire du monde qui nous entoure. Depuis trente ans, j'ai conçu et breveté une méthode prouvée et testée. Dans ce livre, je partage ma méthode et une partie de ce que j'ai appris grâce à elle sur les principales cultures du monde.

Mon but principal est de libérer ceux qui liront ce livre. On gagne une étonnante liberté en comprenant pourquoi nous agissons comme nous le faisons. Cette liberté affectera tous les segments de votre vie : vos relations, votre attitude par rapport à vos biens et à vos actions, et jusqu'à vos idées sur la place de l'Amérique dans le monde.

Les sujets que je vais aborder dans *Culture Codes* incluent un grand nombre des forces qui dirigent notre vie : le sexe, l'argent, nos relations, la nourriture, le surpoids, la santé et jusqu'à l'Amérique elle-même. Vous verrez comment ceux qui ont participé aux séances de découverte m'ont conduit jusqu'aux différents Codes et comment leur révélation m'a amené à une nouvelle compréhension des comportements dans ce pays, comment ceux-ci diffèrent des autres cultures et ce que ces différences signifient pour chacun de nous.

Une fois que vous connaissez les Codes, rien n'est plus jamais comme avant.

# 1.

# NAISSANCE D'UNE NOTION

Je continue à mener les séances de découverte de la même façon que la première fois pour Nestlé, il y a plus de trente ans. Cinq principes guident ma méthodologie pour mettre au jour les Code culturels, et la connaissance de ces principes vous aidera à comprendre le mode de pensée qui entre dans chaque découverte.

La meilleure façon d'illustrer ces principes est de les replacer dans le contexte d'une séance d'exploration. Dans les pages suivantes, je vais vous emmener à la découverte du Code américain pour les voitures. J'ai fait cela il y a plusieurs années pour Chrysler, après le travail que j'avais réalisé pour eux sur la Jeep Wrangler. Ils s'apprêtaient à lancer un nouveau modèle et ils m'ont engagé pour comprendre ce que les gens voulaient vraiment dans une voiture. À l'époque, les ventes des berlines régressaient alors que les Américains étaient de plus en plus fascinés par les 4 × 4, les minivans et les camionnettes. Un certain nombre de gens dans l'industrie suggérèrent même que le public n'était plus du tout intéressé par les berlines. Cette séance d'exploration était donc décisive pour Chrysler pour plusieurs raisons. S'ils découvraient que les berlines n'avaient plus d'attrait pour les Américains, cela modifierait de manière drastique les choix de l'entreprise.

## PRINCIPE 1 : VOUS NE POUVEZ PAS CROIRE CE QUE DISENT LES GENS

Que recherchent les Américains dans une voiture ? J'ai entendu beaucoup de réponses lorsque j'ai posé cette question. Parmi celles-ci : un très bon classement en matière de sécurité, une consommation d'essence très performante, une bonne tenue de route, entre autres. Je n'en ai pas cru une seule. Parce que le premier principe du Code culturel est que le seul moyen efficace de comprendre ce que les gens veulent réellement dire est d'ignorer ce qu'ils disent. Je ne prétends pas que les gens mentent intentionnellement ou qu'ils donnent une fausse idée d'eux-mêmes. Mais lorsqu'on leur pose des questions directes sur leurs intérêts et leurs préférences, les gens ont tendance à donner les réponses que l'interlocuteur souhaite entendre. Encore une fois, ce n'est pas parce qu'ils veulent nous tromper. C'est parce que les gens répondent aux questions avec leur cortex, la partie de leur cerveau qui contrôle l'intelligence plutôt que l'émotion ou l'instinct. Ils examinent une question, ils la digèrent, et lorsqu'ils donnent leur réponse, elle est le produit de cette délibération. Ils croient qu'ils disent la vérité. Un détecteur de mensonges le confirmerait. Pourtant, dans la plupart des cas, ils ne disent pas ce qu'ils veulent réellement dire.

La raison à cela est simple : la plupart des gens ne savent pas pourquoi ils font ce qu'ils font. Dans son étude classique, Jean-Martin Charcot, le scientifique du XIXe siècle, hypnotisa une patiente, lui donna un parapluie et lui demanda de l'ouvrir. Puis il sortit doucement la femme de son état hypnotique. Lorsqu'elle revint à elle, elle fut surprise par l'objet qu'elle tenait dans sa main. Charcot lui demanda alors pourquoi elle tenait un parapluie ouvert à l'intérieur. La femme fut complètement perturbée par la question. Elle n'avait bien sûr aucune idée de ce qui lui était arrivé et aucun souvenir des instructions de Charcot. Confuse, elle regarda le plafond. Elle regarda ensuite Charcot et dit : « Il pleuvait. »

La femme ne pensait certainement pas qu'elle avait un parapluie ouvert à l'intérieur parce qu'il pleuvait. Pourtant, lorsqu'on lui posa la question, elle eut le sentiment qu'elle devait trouver une réponse et celle-ci fut la seule réponse logique qui lui vînt à l'esprit.

Même les plus introspectifs sont rarement en contact avec leur inconscient. Nous avons peu d'interaction avec cette force puissante qui guide tant de nos actions. Par conséquent, nous donnons aux questions des réponses qui nous semblent logiques et qui sont même ce que l'investigateur attend, mais qui ne révèlent pas les forces inconscientes qui conditionnent nos sentiments. C'est pourquoi les sondages et les études de marché sont si souvent trompeurs et inutiles (et pourquoi les dirigeants de Chrysler avaient obtenu les mauvaises « réponses » à propos de la Wrangler). Ils reflètent seulement ce que les gens disent plutôt que ce qu'ils veulent dire.

Tôt dans ma carrière, j'ai compris que si je voulais aider les gens à identifier ce qu'ils voulaient vraiment dire, j'avais besoin d'adopter le rôle de « l'étranger professionnel », le visiteur d'une autre planète dont j'ai parlé plus haut. Je devais convaincre les gens que j'étais un complet étranger qui avait besoin de leur aide pour comprendre comment quelque chose fonctionnait, quel pouvait être son attrait ou bien quelles émotions elle pouvait déclencher. Que faites-vous avec du café ? L'argent est-il une forme de vêtement ? Comment fait-on fonctionner l'amour ? Ceci permet aux gens de commencer le processus de séparation du cortex et d'avancer vers la source de leur première rencontre avec l'objet en question.

Pendant la troisième heure d'une séance d'exploration – le moment où les participants s'allongent sur le sol avec des oreillers et écoutent de la musique apaisante – les gens commencent vraiment à confier ce qu'ils veulent vraiment dire. Ce processus les aide à être à l'écoute d'une autre partie de leur cerveau. Les réponses qu'ils donnent alors viennent de leur cerveau reptilien, là où sont « entreposés » leurs instincts. C'est dans notre cerveau reptilien que reposent les vraies réponses.

Beaucoup de gens se souviennent très précisément de leurs rêves pendant cinq ou dix minutes après leur réveil. Mais s'ils ne consignent pas les détails de ces rêves, ils les perdent pour toujours. Parce que, dans cet état entre le sommeil et l'éveil, nous avons un meilleur accès à nos souvenirs et à nos instincts. Le processus de relaxation utilisé pendant ces séances permet aux participants d'avoir accès à cet état et donc de contourner leur cortex pour se brancher sur leur cerveau reptilien. Régulièrement, les gens affirment que des souvenirs qu'ils avaient oubliés depuis des années leur reviennent durant ces séances.

Pour Chrysler, j'ai réuni des gens et je leur ai demandé ce qu'ils désiraient dans une voiture. La réponse que j'ai obtenue initialement provenait totalement du cortex : une bonne consommation, la sécurité, la fiabilité mécanique, et tout ce que nous avons appris à dire sur le sujet. Bien sûr, je ne les ai pas crus. Au fur et à mesure de la progression des séances, j'ai commencé à entendre autre chose sur les voitures. Le souvenir de certaines voitures différentes, comme la Mustang 1964 1/2, la Coccinelle originale, et les Cadillacs des années 1950 avec leurs énormes ailes. Des histoires de sentiment de liberté qui venait avec le premier jeu de clés. Des propos timides sur la première expérience sexuelle qui avait eu lieu sur la banquette arrière d'une voiture. Petit à petit, l'idée de ce que le consommateur américain cherchait vraiment dans une automobile commença à émerger. Ils voulaient la liberté. Ils voulaient une expérience sensuelle.

La voiture qui sortit de ces séances de découverte fut la PT Cruiser, une voiture avec un look très fort et un message très fort.

La réaction à cette voiture fut également forte. Certains, bien sûr, la détestèrent. Tout trait vraiment distinctif est complètement repoussant pour certains, même pour des gens d'une même culture. C'est à cause des tensions qui définissent les cultures. J'en parlerai abondamment au chapitre 3.

Néanmoins, d'autres adorèrent la voiture, à tel point qu'elle devint un énorme succès commercial. Son lancement fut l'introduction la plus réussie, ces dernières années, d'un nouveau modèle. Certains allaient jusqu'à débourser 4 000 dollars en plus rien que pour être sur une liste d'attente. La vague d'enthousiasme est-elle venue parce que la PT Cruiser apportait ce que les gens avaient dit qu'ils souhaitaient dans une voiture ? Non. L'évaluation de sa consommation et de sa sécurité n'était pas meilleure que celle des autres berlines, et elle n'était pas plus fiable d'un point de vue mécanique. Mais elle était inhabituelle, agressive et sexy. Cela répondait à ce que les gens voulaient réellement dans une voiture, plutôt qu'à ce qu'ils disaient vouloir. Si nous avions seulement écouté ce que les gens disaient, Chrysler aurait créé une autre berline banale, efficace, et le public aurait haussé les épaules.

En écoutant ce qu'ils voulaient réellement, Chrysler avait créé un phénomène.

## PRINCIPE 2 : L'ÉMOTION EST L'ÉNERGIE NÉCESSAIRE POUR APPRENDRE

Les séances de découverte pour les voitures firent resurgir de très puissantes émotions. Les gens vinrent à moi après la troisième heure pour me dire que les souvenirs les avaient amenés au bord des larmes, les avaient remplis de joie ou même qu'ils les avaient dérangés. Ce n'est pas inhabituel. En fait, cela se produit sous une forme ou sous une autre dans presque toutes les séances que je mène – même celles organisées autour des articles de bureau ou du papier toilette.

Les émotions sont la clé de l'apprentissage, la clé de l'impression. Plus l'émotion est forte et plus l'expérience sera retenue clairement. Pensez encore à cet enfant et à la poêle brûlante. Les émotions créent une série de connexions mentales (je les appelle des autoroutes mentales) qui sont renforcées par la répétition. Ces autoroutes mentales nous conditionnent à voir le monde de manière prévisible. Elles sont le chemin entre notre expérience dans le monde (comme, par exemple, toucher une poêle brûlante) et une approche utile du monde (éviter tous les objets brûlants à l'avenir).

Nous réalisons l'immense majorité de nos apprentissages lorsque nous sommes enfants. À l'âge de sept ans, la plupart de nos autoroutes mentales sont construites. Mais les émotions continuent de nous fournir de nouvelles empreintes durant toute notre vie. Un grand nombre d'Américains de la génération des baby-boomers se souviennent où ils se trouvaient et ce qu'ils faisaient lorsqu'ils ont appris l'assassinat de John F. Kennedy. Presque tous les Américains en vie aujourd'hui peuvent revivre avec intensité l'expérience de l'effondrement des tours du World Trade Center. Ceci est vrai parce que ces expériences sont si puissantes émotionnellement qu'elles sont effectivement gravées dans notre cerveau. Nous ne les oublierons jamais et la seule évocation de ce sujet nous renvoie au moment où nous les avons gravées.

En Normandie, les paysans ont un rituel étrange et déplaisant qui démontre une compréhension innée de ce concept mais également une mauvaise façon de l'utiliser. Lorsque le premier fils d'une famille atteint son septième anniversaire, son père l'emmène sur la terre qu'il possède et marche avec lui jusqu'aux quatre coins de la propriété. À chaque coin, le père bat l'enfant. Bien que cette pratique soit choquante et n'améliore probablement pas le lien père-fils, elle crée pour l'enfant une connexion très forte avec les limites de la propriété. Le père sait que l'enfant se souviendra toute sa vie des frontières de la terre dont il héritera un jour.

J'ai connu une expérience inconfortable avec l'apprentissage d'une phrase en américain, lorsque j'ai commencé à enseigner à l'université Thomas Jefferson, peu après être arrivé dans ce pays, dans les années 1970. Je commençais juste à apprendre à parler l'américain. Ma classe se tenait dans une grande salle de conférence sans fenêtres, et le premier jour, alors que je venais d'expliquer mes objectifs pour la classe, un des étudiants m'a crié : « *Watch out !* » (Attention !) Je n'avais jamais entendu cette expression et donc je n'avais aucune idée de ce que l'étudiant voulait me dire. Instantanément, mon cerveau a recherché une définition. « *Watch* » voulait dire « regarder ». « *Out* » pouvait signifier « dehors ». L'étudiant voulait-il que je regarde dehors ? Mais je ne le pouvais pas parce qu'il n'y avait pas de fenêtre dans cette pièce. Bien sûr, tout ceci s'est produit en une fraction de seconde – après quoi un morceau du plafond m'est tombé dessus et je me suis soudain retrouvé allongé sur le sol en train de saigner, attendant l'arrivée des infirmiers.

Pour le moins, je sais maintenant ce que « *watch out* » signifie. En fait, chaque fois que je l'entends, je regarde encore tout de suite vers le plafond, juste au cas où il serait sur le point de me tomber dessus.

Dans nos séances d'exploration sur les voitures, qui ont conduit à la PT Cruiser, il devint évident que les émotions associées à la conduite d'une voiture étaient très puissantes. Lorsque les gens racontaient le moment où ils avaient été autorisés à conduire pour la première fois, on avait l'impression que leur vie avait commencé juste à ce moment-là. De la même manière, lorsque des personnes âgées évoquaient le moment où on leur avait retiré les clés de leur voiture, ils se rappelaient avoir eu le sentiment que leur vie était terminée. Les premières expériences sexuelles qui ont lieu, pour beaucoup d'Américains, sur le siège arrière (plus de 80 pour cent des Américains ont fait l'amour pour la première fois de cette manière) renvoient un message émotionnel très fort sur les voitures.

Il devint évident pour moi, parce que l'émotion liée à la conduite et au fait de posséder une voiture était si forte, que la PT Cruiser avait besoin d'être une voiture qui ferait réagir fortement les gens. Le modèle devait avoir une personnalité particulière afin de justifier ces sentiments. Pour créer une forte identité et un nouveau modèle en même temps, nous décidâmes de toucher quelque chose qui existait déjà dans la culture, une structure familière inconsciente. Nous choisîmes la voiture de gangster, le genre de voiture qu'Al Capone conduisait. Ceci devint la signature de la PT Cruiser. Cela donnait à la voiture une identité extrêmement forte – il n'y a aucune autre voiture comme celle-ci sur la route aujourd'hui – et le consommateur répondit. Encore une fois, si la Cruiser n'avait été qu'une berline de plus, le public ne l'aurait probablement même pas remarquée, mais sa différence toucha quelque chose de très émotionnel.

## PRINCIPE 3 : LA STRUCTURE EST LE MESSAGE, PAS LE CONTENU

À la différence des séances que j'avais menées pour la Jeep Wrangler, cette nouvelle découverte avait un rapport avec les voitures en général. De manière prévisible, les participants avaient parlé de toutes sortes de voitures – minivans et roadsters, Model T et voitures concept. Comment pouvais-je aboutir à des conclusions sur le Code alors que les participants avaient en tête une gamme de voitures aussi vaste ? En regardant la structure plutôt que le contenu.

Dans la pièce *Cyrano de Bergerac*, d'Edmond Rostand, Cyrano a une scène de duel dramatique. L'histoire de Cyrano a été réécrite dans le film de 1987, *Roxanne*, avec Steve Martin. Le personnage de Martin, C.D. Bales, fait une rencontre semblable, mais il utilise une raquette de tennis. Lorsque l'on recherche des messages inconscients, la différence entre une épée et une raquette de tennis est insignifiante. Elles ne sont que du contenu. On peut raconter la même histoire avec une épée ou avec une raquette de tennis, ce qui signifie que le contenu n'est pas essentiel au sens. On pourrait dire la même chose de *West Side Story*, dont le « contenu » est différent de celui de *Roméo et Juliette*, mais qui raconte la même histoire.

Ce qui est important, c'est la structure de l'histoire, le lien entre les différents éléments. Pour Cyrano et pour C.D., le combat est une question d'honneur. Le besoin qui conduit au duel est ce qu'il est important d'identifier, et il est le même dans les deux histoires, avec des signes extérieurs différents.

On peut dire la même chose d'une mélodie. On peut jouer la même mélodie le matin ou le soir, sur un piano ou sur un violon, en été ou en hiver. Les musiciens peuvent être jeunes ou vieux, riches ou pauvres, masculin ou féminin. Même les notes sont en partie sans importance, parce qu'une mélodie jouée dans une clé différente ou dans un autre octave est toujours la même mélodie. Tous les éléments précédemment cités sont le contenu. La structure est l'espace entre les notes, le spectre entre chaque note et celle qui suit, et le rythme.

La clé pour saisir le vrai sens derrière nos actes est de comprendre la structure. L'anthropologue Claude Lévi-Strauss a étudié les liens entre les personnes, en affirmant qu'il n'était pas intéressé par les gens mais par les relations entre eux, « l'espace entre les gens ». Un oncle n'existe pas s'il n'y a pas de nièce ; une femme, s'il n'y a pas de mari ; une mère, s'il n'y a pas d'enfant. Le lien est la structure.

Lorsque l'on cherche à savoir pourquoi les gens agissent d'une certaine manière et font certaines choses, nous devons regarder au-delà du contenu, dans la structure. Dans toute situation, il y a trois structures à l'œuvre. La première est la structure biologique, l'ADN. Les singes, les êtres humains, les vaches et les girafes sont faits du même contenu. Cependant, chaque espèce est différente parce que l'organisation de son ADN – sa structure – est unique.

La structure suivante est la culture. Toutes les cultures ont un langage, un art, un habitat, une histoire, et ainsi de suite. La façon dont tous ces éléments, ce contenu, s'organisent, crée l'identité unique de chaque culture.

La dernière structure est l'individu. Dans l'ADN qui nous rend humain, il y a une infinité de possibilités. En plus, chacun d'entre nous a une relation unique avec ses parents, ses frères et sœurs, sa famille, qui définit nos schémas mentaux individuels et crée notre identité unique. Même des jumeaux identiques finissent par avoir des identités particulières. L'un est né en premier, l'autre en second. Ils ne seront jamais exactement au même endroit au même moment et, peu à peu, ils vont commencer à développer des perspectives différentes sur le monde. Ils commencent avec le même contenu, mais développent des structures qui leur sont propres.

Lorsque je lis les histoires que racontent les participants lors de la troisième heure des séances de découverte, je ne prête aucune attention au contenu, mais je me concentre exclusivement sur la structure. Dans les séances organisées pour Chrysler, il était sans importance qu'un participant raconte une histoire de voiture de sport alors qu'un autre parlait d'une berline familiale et qu'un troisième ait de la nostalgie pour sa Packard 1950. Qu'ils utilisent leur voiture en ville, sur des chemins de campagne, sur ou hors des autoroutes, n'avait aucune importance. Ce qui comptait, c'était le lien entre le conducteur et la voiture, entre l'expérience de la conduite et les sentiments qu'elle évoquait. Ces connexions – cette structure – nous ont donné l'idée claire que les Américains tirent de leur voiture un sentiment d'identité fort, et cela a conduit à la conception d'un modèle qui renforcerait cette identité.

## PRINCIPE 4 : IL Y A UNE FENÊTRE DE TEMPS POUR L'IMPRESSION ET LE SENS DE L'EMPREINTE VARIE D'UNE CULTURE À L'AUTRE

J'aime dire que l'on n'a jamais une seconde chance d'avoir une première expérience. La plupart d'entre nous impriment le sens des choses les plus essentielles à notre vie à l'âge de sept ans. Parce que l'émotion est la force centrale des enfants en dessous de l'âge de sept ans (si vous avez besoin d'une preuve, regardez les changements de l'état émotionnel d'un jeune enfant en une heure), alors qu'ensuite, ils sont guidés par la logique (essayez de discuter avec un enfant de neuf ans). La plupart des gens sont exposés à une seule culture avant l'âge de sept ans. Ils passent la plupart de leur temps à la maison ou bien dans leur environnement. Peu de jeunes Américains sont exposés, de manière importante, à la culture japonaise. Peu d'enfants japonais sont exposés à la culture irlandaise. Par conséquent, les empreintes extrêmement fortes intégrées dans leur inconscient à un jeune âge sont déterminées par la culture dans laquelle ils ont été élevés. Pour un enfant américain, la période d'apprentissage la plus active prend place dans un contexte américain. Les structures mentales constituées dans un environnement américain remplissent son subconscient. Par conséquent, l'enfant grandit Américain.

C'est pourquoi des gens de différentes cultures ont des réactions si divergentes à des choses semblables. Prenons, par exemple, le beurre de cacahouète. Les Américains ont une empreinte émotionnelle très forte vis-à-vis du beurre de cacahouète. Quand vous êtes petit, votre mère vous fait un sandwich au beurre de cacahouète et à la confiture, et vous l'associez à l'amour et à la nourriture affective. Comme je suis né en France, où le beurre de cacahouète n'est pas un produit courant, je n'ai jamais établi ce lien. J'ai découvert le beurre de cacahouète après la fermeture de cette fenêtre de temps pendant laquelle j'aurais pu constituer avec ce produit une forte association émotionnelle. Parce qu'il ne portait pas le poids de l'amour de ma mère, c'était pour moi juste un produit alimentaire. Je l'ai goûté et je ne l'ai pas du tout trouvé spécial ; et même, je ne l'ai pas aimé. Le fromage, par contre, qui occupe une place proéminente dans tous les foyers français, est une tout autre chose. Je ne peux pas goûter du fromage sans que mon subconscient n'ajoute à ce goût des connexions émotionnelles venant de mon enfance.

Mon adolescent de fils, Dorian, est, à bien des égards, un Américain. Mais parce qu'il a toujours passé du temps avec moi dans la maison que j'ai en France, il a appris certaines choses comme un enfant français. Le champagne en est un exemple. En France, les gens boivent du champagne, comme ils le font avec tout vin, pour son goût, pas pour son degré d'alcool. On ne boit presque jamais du vin pour s'enivrer, mais pour en apprécier le goût et la manière dont il met en valeur la nourriture.

Les petits Français goûtent du champagne pour la première fois tout jeunes. Ils y plongent des morceaux de sucre ou des gâteaux, et, en faisant cela, ils en apprennent le goût et les qualités. Dorian buvait souvent une goutte de champagne avec nous en France. Il a ainsi appris à l'apprécier et à l'associer à la fête puisque en France nous ouvrons souvent du champagne lorsque nous célébrons quelque chose. Un jour, nous sommes allés dans un restaurant américain pour une occasion particulière et nous avons commandé du champagne. Dorian, qui avait sept ou huit ans à l'époque, demanda un verre et le garçon s'en moqua. Lorsque j'ai dit au serveur que j'étais d'accord, il ne m'a pas cru (ou il se sentait dans l'obligation légale de m'ignorer). Il mélangea de l'eau gazeuse avec une goutte de jus d'orange dans un verre à champagne et le donna à Dorian – qui le goûta et le rejeta immédiatement parce qu'il connaissait très bien le goût du champagne.

La première empreinte de l'alcool chez la plupart des Américains a lieu lorsqu'ils sont adolescents. C'est une fenêtre de temps très différente de celle pendant laquelle les Français découvrent l'alcool, et par conséquent le lien établi n'a rien à voir. Pour la plupart des Américains, l'alcool a une fonction : il vous enivre. Rares sont les adolescents américains qui réfléchissent au bouquet de la bière qu'ils avalent. Plusieurs amis de Dorian ont déjà eu des problèmes liés à l'ébriété parce qu'ils associent alcool et ivresse et non avec goût. Ils ont compris que l'alcool pouvait les saouler, et rien d'autre. En fait, la plupart d'entre eux réagissent à l'alcool comme moi je réagis au beurre de cacahouète – ils trouvent le goût peu attirant – mais ils continuent parce qu'ils savent qu'en le faisant ils changeront leur état d'esprit.

Pour revenir une fois encore à nos séances pour la PT Cruiser, j'ai appris que les voitures étaient un élément essentiel de la culture américaine parce que, bien que les enfants américains ne connaissent pas l'émotion liée à la conduite à un jeune âge, ils mémorisent l'excitation associée à la voiture dans leur jeunesse. Les Américains adorent les voitures et ils adorent sortir avec. Dans les séances d'exploration, les participants racontèrent l'état fébrile de leurs parents rentrant à la maison avec une nouvelle voiture, parlèrent du plaisir et des liens qui se créent dans les familles qui font de la route ensemble le week-end, de l'euphorie du premier tour dans une voiture de sport. Les enfants américains apprennent dès leur plus jeune âge que les voitures sont une partie essentielle de la vie de famille, qu'elles apportent la joie, l'orgueil et même qu'elles soudent la tribu. Lorsque vient le moment pour eux d'acheter une voiture, ce lien émotionnel les guide de manière inconsciente. Ils veulent une voiture qui leur semble spéciale. Parce que le caractère différent de la PT Cruiser leur a donné ce sentiment, ils l'ont accueillie dans leur garage et dans leur vie.

## PRINCIPE 5 : POUR COMPRENDRE LE SENS D'UNE EMPREINTE DANS UNE CULTURE, IL FAUT APPRENDRE LE CODE DE CETTE EMPREINTE

La PT Cruiser fut un énorme succès en Amérique. Pourtant, avant son lancement, les nouveaux dirigeants de DaimlerChrysler avaient prédit que ce serait un échec. Pourquoi ? Parce que différentes cultures ont différents Codes.

Même nos actes les plus arbitraires sont le résultat du voyage que nous faisons sur notre autoroute mentale. Nous l'effectuons des centaines de fois par jour, lorsque nous décidons quoi porter, quoi manger, où aller, que dire dans une conversation, et ainsi de suite. Ce que la plupart des gens ne réalisent pas, par contre, c'est qu'un code particulier est requis pour faire ces voyages. Pensez au Code comme à une combinaison qui ouvre une porte. Dans ce cas-là, nous devons non seulement entrer les chiffres, mais aussi les entrer dans un ordre spécifique, à une vitesse spécifique, avec un rythme spécifique, etc. Chaque mot, chaque action, chaque symbole possède un Code. Notre cerveau fournit ces Codes inconsciemment, mais il existe un moyen de les découvrir pour comprendre pourquoi nous faisons ce que nous faisons.

Comme je l'ai déjà démontré, les séances d'exploration que je mène pour mes clients nous permettent d'apprendre ce qu'une chose signifie réellement pour les participants. Lorsque mon équipe et moi-même analysons les réponses, un message commun émerge. Nous découvrons les Codes lorsque nous trouvons ces messages communs.

Ces messages varient grandement d'une culture à l'autre, et, par conséquent, les Codes. Par exemple, j'ai organisé des séances d'exploration sur le fromage en France et en Amérique. Les Codes que nous avons découverts ne pouvaient être plus opposés. Le Code des Français pour fromage est VIVANT. Ceci est tout à fait compréhensible lorsque l'on considère la façon dont les Français choisissent et conservent leurs fromages. Ils vont chez un fromager, tâtent les fromages et les sentent pour découvrir leur âge. Lorsqu'ils en choisissent un, ils l'emportent à la maison et ils le conservent à la température ambiante sous une cloche. Le Code américain pour fromage, par opposition, est MORT. Encore une fois, ceci est compréhensible dans le contexte. Les Américains « tuent » leurs fromages avec la pasteurisation (les fromages non pasteurisés ne sont pas autorisés dans ce pays), choisissent des morceaux de fromage qui ont été préemballés – momifiés, si vous voulez – dans du plastique (comme des sacs pour les morts), et ils le conservent, toujours emballé sous vide, dans une morgue, également connue sous le nom de réfrigérateur.

Il y a un mouvement en Europe (lancé par quelques bureaucrates à Bruxelles) qui chercha à imposer la pasteurisation dans toute l'Union européenne. Connaissant ce que vous connaissez sur le Code des Français pour le fromage, doutez-vous de la manière dont ils ont réagi ? Leur réponse fut si violente qu'il y eut même des manifestations dans les rues. L'idée de forcer les Français à pasteuriser leurs fromages est complètement « hors Code ».

Cette perspective est valable pour les aliments de toutes sortes. Les Américains sont très préoccupés par la sécurité alimentaire. Ils ont des commissions de régulation, des dates d'expiration, et une grande variété de contrôles sanitaires qui les protègent de la nourriture dangereuse. Les Français, au contraire, sont beaucoup plus intéressés par le goût que par la sécurité. En France, il y a une méthode de préparation connue sous le nom de faisandée. On pend un faisan (d'où son nom), ou un autre gibier, à un crochet, jusqu'à ce qu'il vieillisse – jusqu'à ce qu'il commence à pourrir, littéralement. Alors que la plupart des Américains seraient inquiets, les chefs français utilisent cette méthode parce qu'elle améliore la saveur de l'oiseau. La sécurité n'est pas tant une préoccupation pour eux ou pour les gens pour lesquels ils cuisinent. De telles explorations culinaires ont évidemment un prix. Il y a chaque année beaucoup plus de morts liées à l'alimentation en France qu'aux États-Unis, bien qu'il y ait cinq fois plus d'habitants aux États-Unis.

Revenons une fois encore à notre exemple de la PT Cruiser pour montrer comment ces différents Codes culturels affectent nos réponses. Ma lecture des centaines d'histoires racontées par les participants pendant les séances de découverte révéla que le Code américain pour voiture était IDENTITÉ. Les Américains veulent des voitures qui sont différentes, qui, sur la route, ne seront pas prises pour un autre modèle et qui déclenchent le souvenir des promenades du dimanche, de la liberté que l'on éprouve en étant derrière le volant pour la première fois, et l'excitation de la passion que l'on ressent à l'adolescence. Une voiture avec une identité forte, comme la PT Cruiser, ou, comme je l'ai montré plus haut, la Jeep Wrangler, a de bien meilleures chances de réaliser des ventes exceptionnelles plutôt qu'une berline banale.

Cependant, ce Code est loin d'être partagé par toutes les cultures. Le géant de l'automobile allemande, Daimler-Benz, a racheté Chrysler au moment où la PT Cruiser allait entrer en production. Lorsque les dirigeants allemands qui étaient arrivés aux commandes de l'entreprise virent la voiture, ils furent consternés. Pourquoi ? Parce que le Code pour les voitures en Allemagne est complètement différent du Code américain. Le Code allemand pour voiture est TECHNOLOGIE. Les constructeurs allemands s'enorgueillissent de la qualité de leur technologie et cette fierté est si profonde que ceux qui sont élevés dans cette culture pensent d'abord technologie lorsqu'ils pensent aux voitures. Les PT Cruisers initiales n'étaient pas des modèles d'excellence technologique. Leur moteur n'était pas particulièrement puissant ou efficace, le design était tout sauf aérodynamique, leur tenue de route était médiocre et leur consommation d'essence ainsi que l'évaluation de leur sécurité étaient seulement moyennes. La nouvelle équipe dirigeante de Chrysler, se référant à son propre Code culturel, était persuadée que la PT Cruiser serait un désastre marketing. Ils reléguèrent sa production dans une usine au Mexique.

Ceci se révéla être une énorme erreur (bien que compréhensible). Les cadres allemands avaient répondu de manière négative à la qualité moyenne de la technologie du modèle. Les consommateurs américains répondirent positivement à la très forte identité de la voiture. L'usine du Mexique n'était pas équipée pour répondre à la demande, et il y eut de longues listes d'attente. Si les nouveaux dirigeants de Chrysler avaient compris le Code des Américains pour les voitures, et s'ils s'étaient fiés à lui plutôt qu'à leur propre Code, ils auraient évité les nombreux problèmes qu'ils eurent pour lancer sur les autoroutes américaines toutes les PT Cruisers désirées par les consommateurs.

## UNE NOTION EST NÉE : DÉCOUVRIR L'INCONSCIENT CULTUREL

La notion soutenue par ces cinq principes est qu'il y a un troisième inconscient au travail. Les principes ne peuvent être attribués ni à l'inconscient individuel freudien qui guide chacun de nous de manière unique, ni à l'inconscient collectif jungien qui guide chacun de nous en tant que membre de l'espèce humaine. Les principes mettent en lumière un inconscient qui guide chacun de nous de manière unique selon les cultures qui nous ont produits. Ce troisième inconscient est l'inconscient culturel.

Cette notion et ces principes sont la preuve irréfutable qu'il y a un esprit américain, tout comme il y a un esprit français, un esprit anglais, un esprit kurde, un esprit letton. Chaque culture possède sa propre forme de pensée et celle-ci nous apprend qui nous sommes de manière profonde.

Je vais maintenant vous guider vers les deux douzaines des Codes les plus importants que j'ai découverts. Ces Codes montreront comment l'inconscient culturel affecte notre vie personnelle, les décisions que nous prenons en tant que consommateurs, et la manière dont nous agissons en tant que citoyens du monde. Je mettrai en contraste également ces Codes avec les découvertes que j'ai faites dans d'autres cultures afin de montrer comment la même chose peut avoir une signification très différente ailleurs. Il y a plus d'un « waou » dans ce livre. Il y a ici des révélations qui vous aideront à vous comporter, à conduire vos affaires et à regarder les autres avec une nouvelle acuité.

Allons vous équiper d'une nouvelle paire de lunettes !

# 2.

# LES DOULEURS DE CROISSANCE D'UNE CULTURE ADOLESCENTE

## Les Codes pour l'amour, la séduction et le sexe

Les cultures sont créées et évoluent dans le temps, même si cela se fait à un rythme très lent. Une culture peut ne pas connaître de changement important pendant des générations. Les modifications se produisent de la même manière que dans notre cerveau, par des empreintes fortes. Ces empreintes transforment le système de référence de la culture et son importance est transmise aux générations. Les Indiens, par exemple, considèrent le singe Hanuman langur sacré parce qu'un conte hindou écrit il y a plus de vingt siècles raconte que l'un d'eux a sauvé la reine qui avait été enlevée. L'empreinte de cette légende est si forte dans la culture que ces singes sont toujours libres d'aller là où ils veulent en Inde, bien qu'ils interrompent régulièrement la circulation, envahissent les réserves à grain et en général sont une nuisance.

Une empreinte d'une autre sorte, qui a fondé une culture et l'a changée, s'est produite en Israël. Là-bas, les tribus païennes voisines offraient des cochons en sacrifice rituel à leurs idoles, une pratique que les Juifs trouvaient repoussante. À l'époque, les porcs étaient des animaux sales, se nourrissant de cadavres et de détritus. Manger du porc favorisait la propagation de terribles maladies et affaiblissait la collectivité. En réponse, la religion juive interdit la consommation de porc, et de nombreux Juifs évitent encore aujourd'hui le porc bien que la plupart n'ont pas de contact avec les rituels païens et que les cochons sont élevés dans des conditions qui rendent peu probable la propagation de parasites. Encore une fois, l'empreinte des masses de villageois tombant mortellement malades à cause de parasites transmis par la viande, ou témoins de rituels choquants, avait été si forte que la culture avait changé.

Des empreintes aussi fortes se produisent peu fréquemment. En conséquence, les cultures émergent et changent lentement. Vieille d'à peine deux siècles un quart, la culture américaine a connu relativement peu d'empreintes transformatrices. L'ouverture de l'Ouest, les vagues de persécutés arrivant sur ses rivages et y trouvant le succès, et ce pays se transformant en protecteur lors de deux guerres mondiales ont représenté de telles empreintes. Il est très possible qu'une autre empreinte change la culture – le 11 septembre 2001 – mais nous n'en serons certains que dans plusieurs générations. Peu importe, si nous comparons l'évolution de la culture avec les époques de la vie, nous sommes très jeunes. Pas aussi jeunes que la culture canadienne ou la culture sud-africaine, mais certainement plus jeunes que les vieux Britanniques ou Japonais. En réalité, nous sommes en plein dans l'adolescence, et cette métaphore va bien au-delà de notre âge en tant que culture et affecte la manière dont nous agissons et dont nous réagissons.

## SI VOUS NE TUEZ PAS LE ROI, VOUS POUVEZ RESTER JEUNE POUR TOUJOURS

Notre adolescence culturelle influence notre comportement d'un grand nombre de manières. C'est un élément incroyablement puissant de notre système de référence, peut-être même le plus fort. Le thème de l'adolescence sort dans presque toutes les séances d'exploration. De la même manière, les thèmes associés à l'âge – la patience, la sophistication, la connaissance de ses limites, entre autres – émergent avec une grande régularité dans les séances menées dans des cultures plus anciennes. Vous verrez ce contraste entre les thèmes adolescents et les thèmes adultes à travers tout le livre.

Notre adolescence vient d'un point essentiel : nous n'avons jamais eu à tuer le roi pour devenir qui nous sommes.

Chaque adulte a, un jour, été un enfant fragile et inquiet. Puis il passe par les étapes de l'adolescence et de la rébellion. Dans la culture américaine, pourtant, notre rébellion a pris une forme inhabituelle. Beaucoup de cultures se rebellent en tuant leurs leaders (par exemple, les Français se sont révoltés en décapitant Louis XVI), après quoi, leur période de rébellion se termine et l'âge adulte commence. Nous n'avons jamais tué notre roi parce que nous n'en avons jamais eu un. Nous nous sommes rebellés contre le seul roi qui a jamais essayé de nous diriger et nous l'avons jeté hors de « notre chambre », mais nous ne l'avons pas tué. Nous lui avons simplement dit de rester dehors.

Pour cette raison, notre époque rebelle ne s'est jamais vraiment achevée. Au lieu de la dépasser, nous nous y accrochons et nous la renforçons chaque fois que nous accueillons des immigrants. Ces immigrants ont quitté le pays qui leur a été imposé à leur naissance. Venir ici est un acte de rébellion énorme. Comme les révolutionnaires américains, ils laissent derrière eux leur vieille culture au lieu de « finir le boulot » en tuant le roi. En conséquence, ils restent rebelles et c'est cet influx constant de nouveaux adolescents qui maintient adolescente toute notre culture.

Observer notre culture à travers cette paire de lunettes explique pourquoi nous avons tant de succès dans le monde entier pour vendre les attributs de l'adolescence : Coca-Cola, les chaussures Nike, le fast-food, les jeans, et des films bruyants et violents. L'Amérique n'a jamais produit un compositeur de musique classique de classe mondiale, mais a exporté avec succès le rock, le hip-hop, le R & B – les musiques de l'adolescence – aux quatre coins du globe. Les joueurs de basket-ball américains qui peuvent à peine lire gagnent exponentiellement plus d'argent que les scientifiques. Nous sommes en permanence fascinés par les célébrités et par toutes les erreurs d'adolescents qu'elles commettent.

### LA CULTURE DINGO

Par exemple, les Américains adorent Mike Tyson, Michael Jackson, Tom Cruise, Venus Williams, Bill Clinton. Nous les aimons pour plusieurs raisons. Mais d'abord, nous les aimons parce qu'ils sont bizarres, excentriques. Ils nous prouvent qu'un comportement extrême est parfaitement acceptable. Nous les adorons parce que, comme Jennifer Wilbanks (« la Mariée Fugueuse »), ils ont peur de grandir. En fait, ils ne sont rien d'autre que des « Adultes Fugueurs ».

Récemment, le *New York Times* a écrit : « Mike Tyson continue à conserver un magnétisme qui laisse les sociologues à la recherche d'une explication. » *USA Today* écrit que Tyson « vole... et tombe. Tout en haut, puis à terre, immobile et... en prison. Le thérapeute affirme que Tyson, perturbé, avait décidé qu'il était temps de grandir ».

Mais qui veut grandir ?

Une expression typiquement américaine illustre bien ce phénomène : « Je ne sais toujours pas ce que je voudrais faire quand je serai grand. » Vous l'entendez souvent chez des gens qui ont soixante ou soixante-dix ans.

Michael Jackson ne fait pas face à la réalité de son âge. À presque cinquante ans, il veut encore dormir avec des enfants. Cela va, quand vous avez neuf ou dix ans, de dormir chez un ami. Mais quand vous avez quarante-sept ans et que vous dormez avec des enfants de douze ans...

Oprah Winfrey a invité Tom Cruise sur son show pour la promotion de l'un de ses films. Au lieu de cela, il a passé l'heure à vanter le « C'est bien d'être bizarre ». Pendant l'émission, il a sauté tout autour du studio, s'est juché sur le canapé, s'est mis sur un genou comme un amoureux plein de passion et a affirmé sans arrêt son amour pour sa nouvelle fiancée. Lorsque mes enfants avaient neuf ans, il leur arrivait de sauter sur leur lit pendant une heure. Je n'ai jamais pris cela pour un comportement adulte, et les gens ont réagi de la même manière au comportement de Cruise « sautant sur le lit ». Néanmoins, en même temps, juste après son invitation chez *Oprah*, ils ont acheté pour 65 millions de dollars de billets pour son nouveau film, lors du premier week-end de sortie.

En 2005, Venus Williams a remporté Wimbledon, le tournoi le plus traditionnel au monde. Sa jupe était simple et blanche, mais elle ne put réfréner son exubérance adolescente et se mit à faire des bonds en l'air après sa victoire, comme une gamine de neuf ans sur son lit.

Bill Clinton était un génie politique, non pas pour sa compréhension des problèmes du monde, mais pour sa capacité à être en phase avec l'inconscient culturel américain. Clinton était le parfait président adolescent. De la super matière pour les comiques : tricheur, menteur bien que sous serment, affublé d'un scandale sexuel – l'ensemble était parfait.

Ce que ces personnages ont en commun, et ce qui nous fascine tant, c'est leur résistance à grandir. Ils sont pour toujours jeunes de cœur, dingues, en haut, en bas, un jour invincibles, un autre jour complètement rejetés, et ils triomphent toujours. Ce sont les « adolescents éternels » que tous les Américains adoreraient être.

En même temps, ils sont la victoire du non-conformisme. En Amérique, vous pouvez être bizarre et réussir. Comme l'a écrit le journaliste Jack Miller : « Les artistes créatifs et les acteurs totalement excentriques, qui ne ressemblent pas au reste d'entre nous, qui vivent dans une réalité inconcevable pour la majorité, méritent louanges, générosité et appréciation de leurs talents et leur don du génie. *Vive la différence !* »

C'est la culture « dingo ». Mais préférez-vous appartenir à une culture adolescente ou bien à une culture sénile ?

## LA CULTURE AMÉRICAINE : ADOLESCENTE ENCORE ET ENCORE

Comme vous allez le découvrir dans ce livre, la culture américaine présente beaucoup des caractéristiques de l'adolescence : fixation intense sur le « maintenant », violents changements d'humeur, besoin constant d'exploration et contestation de l'autorité, fascination pour les extrêmes, ouverture au changement et à la réinvention de soi-même, et forte conviction que les erreurs méritent une seconde chance. En tant qu'Américains, nous pensons que nous en savons plus que nos aînés (par exemple, nous consultons rarement la France, l'Allemagne, la Russie ou l'Angleterre en matière de politique étrangère), que leurs réponses sont dépassées (nous prêtons guère attention aux opinions de ces cultures dans les affaires planétaires), et que nous devons rejeter leurs leçons et refaire le monde (peu d'entre nous – même parmi nos leaders – sont des étudiants de l'histoire mondiale, préférant commettre nos propres erreurs plutôt que d'apprendre des erreurs des autres cultures).

Comme tous les adolescents, nous sommes obsédés par l'amour, la séduction et le sexe. En cela, nous ne sommes pas uniques. Les gens dans de nombreuses cultures à travers le monde sont fascinés par ça, peut-être plus que par tout autre chose. Après tout, en tant qu'êtres humains, nous avons besoin de sexe au moins pour assurer la continuation de l'espèce. Mais, les attitudes inconscientes que nous, Américains, avons sur ces sujets, sont uniques et ont un rapport étroit avec notre adolescence culturelle.

L'adolescence est une période de confusion et de contradictions. De nouvelles découvertes sont prometteuses un jour et décevantes le lendemain. Des rêves naissent, fleurissent et se fanent aussi rapidement que des jonquilles au printemps. Des certitudes deviennent des incertitudes en un battement de cil. Ceci est aussi vrai des cultures adolescentes que des enfants adolescents et ce n'est nulle part plus évident que dans les Codes révélés dans ce chapitre.

Certains d'entre vous trouveront les pages à venir dérangeantes. Certains insisteront sur le fait qu'ils ne se reconnaissent en aucune manière dans ces Codes. (Vous aurez peut-être raison. Bien sûr, chaque individu est différent, puisqu'il est gouverné par son propre inconscient.) La révélation de ces Codes sera peut-être perturbante, mais rappelez-vous que les Codes sont moralement neutres. Les Codes eux-mêmes n'expriment pas de jugements sur une culture particulière. Les Codes américains reflètent seulement notre adolescence culturelle. C'est souvent très bien et libérateur, comme vous le verrez dans les chapitres suivants, et cela explique pourquoi nous sommes les meilleurs au monde dans beaucoup de domaines et pourquoi nous avons aussi souvent été des innovateurs et des réformateurs.

Mais, si l'on devait compiler une liste des choses dans lesquelles la culture américaine excelle, l'amour, la séduction et le sexe ne figureraient pas sur cette liste. Vous le savez déjà. Après tout, lorsque nous considérons qu'un homme est un grand séducteur, nous l'appelons peut-être Don Juan ou Casanova, mais, jamais Joe Smith. La fonction de cette nouvelle paire de lunettes fournie par le Code culturel est de nous montrer *pourquoi* nous agissons comme nous le faisons :

Pourquoi les Américaines sont si préoccupées de trouver « Mr. Right » ?

Pourquoi la FCC (la haute autorité de l'audio-visuel) désapprouve (et même punit) l'image à la télévision d'une femme allaitant son enfant, mais autorise les bains de sang fictifs aux heures de grande écoute sur les chaînes ?

Pourquoi les Américaines sont offusquées lorsque, à New York, des ouvriers du bâtiment les sifflent, mais sont flattées lorsqu'un homme fait la même chose à Milan ?

La réponse est dans les Codes.

## QU'EST-CE QUE L'AMOUR A À VOIR LÀ-DEDANS ?

J'ai organisé des séances dans tout le pays, à la recherche du Code pour l'amour. Pendant ces séances, j'ai demandé aux participants de se concentrer sur le mot « amour » sans spécifier s'il s'agissait de l'amour romantique, de l'amour parental, de l'amour entre les enfants, de l'amour du pays, de l'amour des animaux, ou même de l'amour pour une équipe de sport. Mais, lorsque j'ai guidé les participants vers leur première impression, une grande majorité est retournée au même endroit.

> « Ma première expérience du mot "amour", ou bien liée à l'amour, remonte à quand j'avais quatre ou cinq ans. Dans la cuisine, ma mère préparait un gâteau, mon gâteau favori, le cheesecake. L'odeur était celle de l'amour. Elle a ouvert le four et je lui ai dit : "Je t'aime !" Elle a refermé le four, est venue me donner un baiser et m'a dit : "Je t'aime aussi." Ensuite, elle m'a donné une grosse part de gâteau, et je savais qu'elle le pensait vraiment quand elle m'a dit "Je t'aime". » Un homme de quarante ans.

> « Mère nous aimait tellement, elle cuisinait toute la journée de Thanksgiving. Elle était si heureuse de voir sa famille réunie à nouveau autour de la table, en train de dîner... tellement d'amour autour de la table, tant de plats. On ne pouvait pas arrêter de manger. » Une femme de trente-six ans.

> « Lorsque vous êtes petit, les parents sont là pour s'occuper de vous et vous protéger. Vous n'avez ni responsabilités, ni soucis. S'il y a un problème, la famille est là pour vous. Cette protection me manque. » Une femme de cinquante-huit ans.

> « La meilleure façon de décrire la chambre de mes parents, c'est le nid. La moquette était marron clair et les murs bleus. Le lit était au centre de la pièce et il y avait un énorme édredon blanc. C'est sur ce lit que, enfant, je m'asseyais avec ma mère et que je l'interrogeais sur le monde. » Un homme de vingt et un ans.

> « Lorsque j'étais tout jeune, je me souviens de moments où j'étais allongé sur les genoux de ma mère. Je me rappelle parlant avec ma mère et partageant les caresses. » Un homme de soixante-cinq ans.

Les participants liaient leur première expérience de l'amour à l'attention de leur mère – qui les nourrissait, leur donnait un sentiment de sécurité. Ceci est complètement compréhensible. Après tout, pendant neuf mois, notre mère nous fournit « l'hôtel-club » le plus parfait. Le service en chambre est de première qualité et disponible dès qu'on le réclame, le lieu n'est ni trop chaud, ni trop froid, les transports sont gratuits, et il y a même un fond musical (les battements du cœur) pour nous distraire. Et, bien que nous devions en fin de compte quitter ce paradis, notre mère est là pour nous guider pendant la transition. Elle nous nourrit avec son corps, nous câline et nous garde bien au chaud, nous emmène découvrir le monde et nous fournit de nombreuses façons d'occuper notre temps et d'être heureux en apprenant.

Ces réponses étaient parfaitement en accord avec le mode de pensée d'une culture adolescente. Les adolescents, après tout, oscillent entre pousser pour avoir leur indépendance et se comporter comme des enfants. Dans cet état, ils recherchent la douceur (sinon de manière évidente, au moins à l'intérieur d'eux-mêmes) de leur mère, la protection fournie par l'amour inconditionnel.

Puis il y a le mode « indépendance », le mode de fonctionnement qui demande un rejet de la famille et le droit de faire ses propres erreurs. Lorsque je demandais aux participants de se remémorer leurs plus forts souvenirs d'amour, des histoires différentes sortaient.

> « Je suis allé à l'université. J'étais heureuse. Enfin libre ! Mais cela ne s'est pas très bien déroulé. La première fois que j'ai bu, je ne pouvais plus m'arrêter. Ensuite, je ne sais pas ce qui s'est passé, j'étais tellement malade. Aucun des garçons qui me draguaient la nuit précédente n'était là pour m'aider. » Une femme de cinquante ans.

> « J'avais treize ans et j'aimais bien un garçon, mais il aimait quelqu'un d'autre. Cela m'a appris

une bonne leçon, parce que je pensais que j'étais plus jolie qu'elle et qu'elle était grosse, mais j'étais gâtée et parfois méchante. » Une femme de vingt-quatre ans.

« L'expérience la plus forte, c'est lorsque mes parents ont décidé de se séparer. Je l'ai découvert en espionnant une de leurs conversations, un soir tard. Ils étaient tendus, mais tout le monde essayait d'être normal. » Un homme de trente-sept ans.

« J'ai l'image d'un très beau cheval blanc et d'une très belle femme blonde dans une robe ample, en crêpe, avec une forêt très verte, une chute d'eau, et un homme beau qui la rencontre et la serre dans ses bras. J'ai tellement envie d'être cette femme. » Une femme de trente-huit ans.

Il y a là un élément différent de l'expérience adolescente : celui où l'expérimentation mène à l'euphorie puis à la déception, du succès à l'échec. La vaste majorité de ces histoires exprime au moins un peu d'inconfort, de malaise avec les événements décrits, comme un adolescent décrirait des expériences qu'il n'aime pas et qu'il ne comprend pas. N'oubliez pas : ces histoires racontaient leur souvenir d'amour *le plus fort*.

L'élément le plus important de l'expérience adolescente est sans doute la perte de l'innocence. Il arrive un moment, dans la vie de tout adolescent, où il réalise que ses idéaux ne sont pas aussi dorés qu'ils semblaient. Cette prise de conscience mène à une nouvelle maturité et à l'acquisition d'outils pour l'accepter. Cela s'accompagne souvent du sentiment de désenchantement. Lorsque les participants ont décrit leur souvenir d'amour le plus récent, ils ont régulièrement raconté des histoires d'idéaux perdus.

> « Je sais ce que veulent les garçons. Ils disent qu'ils vous aiment, mais je sais ce qu'ils veulent. » Une femme de trente-cinq ans.
>
> « J'ai trois enfants de trois pères différents qui sont morts dans des fusillades. Avant de mourir, je voudrais avoir encore un bébé pour le nourrir, pour l'aimer et pour être aimée de manière inconditionnelle. » Une jeune femme de quinze ans.
>
> « J'avais acheté un diamant pour ma petite amie. Je me souviens qu'elle le retira dans la voiture pendant que nous nous disputions et que j'étais en colère. J'ai saisi la bague et je l'ai jetée par la fenêtre. Je lui ai dit que, puisqu'elle avait si peu d'importance pour elle, je la jetais. » Un homme de trente et un ans.

Ces trois histoires – la première empreinte, le souvenir le plus puissant et le souvenir le plus récent – révèlent un trait typiquement américain : les participants parlaient sans cesse du désir d'amour, du besoin d'amour, de leur croyance en quelque chose qui s'appelle le véritable amour, mais ils évoquaient également de manière consistante leur déception dans cette quête. Un fort pourcentage des souvenirs les plus récents soulignait la perte, l'amertume et la tristesse. Les Américains – quel que soit leur âge – considèrent l'amour comme un adolescent considère le monde : comme un rêve excitant qui se réalise rarement.

Le Code culturel américain pour amour est : ATTENTES IRRÉALISTES.

Sans aucun doute, échouer en amour est une expérience internationale. Même dans les cultures dans lesquelles les mariages sont arrangés et la période de cour est rare, il y a des histoires d'amour interdit et de tristes conséquences lorsque cet amour meurt. Dans les cultures plus anciennes, cependant – celles qui ont terminé leur adolescence il y a des siècles – les attentes en ce qui concerne l'amour sont très différentes.

En France, les concepts de l'amour et du plaisir sont mêlés. Les Français considèrent les notions d'amour vrai et du Beau Chevalier comme sans intérêt. Le raffinement du plaisir est essentiel et la séduction est un processus hautement sophistiqué. L'amour signifie aider votre partenaire à atteindre le plus de plaisir possible, même si cela implique de trouver quelqu'un d'autre pour donner une partie de ce plaisir. Bien sûr, les couples français peuvent être attachés l'un à l'autre, mais leur définition de l'attachement est très différente de la définition américaine (la fidélité, par exemple, n'est pas aussi importante pour eux), et leurs attentes sont définies en fonction de cela.

Les Italiens pensent que la vie est une comédie plutôt qu'une tragédie et que l'on doit rire le plus possible. Pour eux, l'amour doit contenir une part importante de plaisir, de beauté et, par-dessus tout, de joie. Si l'amour devient trop sombre ou bien trop compliqué, il devient insatisfaisant. La culture italienne est fortement centrée sur la famille, et les Italiens placent leur mère sur un piédestal. Pour eux, l'amour vrai, c'est l'amour maternel. Par conséquent, leurs attentes en ce qui concerne l'amour romantique sont plus modestes. Les hommes font la cour aux femmes, mais ils recherchent le véritable amour auprès de leur mère. Les femmes pensent que la meilleure manière d'exprimer l'amour et de le connaître est en devenant mères. Un homme est Le Beau Chevalier lorsqu'il donne un enfant.

Les Japonais offrent sans doute la meilleure illustration des différences d'attitude envers l'amour entre une culture adolescente et une culture plus ancienne. Les hommes et les femmes japonais me demandent souvent de décrire comment les Occidentaux se marient. Je leur raconte qu'un jeune homme rencontre une jeune femme (souvent plus jeune que lui) et ils commencent le processus de découverte l'un de l'autre. S'il tombe profondément amoureux, l'homme demandera à la femme de l'épouser et, si elle l'aime également, elle dira oui (évidemment, en pratique c'est plus compliqué, mais de cette manière, je fais comprendre l'essentiel).

Des expressions de stupéfactions accueillent toujours cette description. « L'homme est jeune ? » demandera le questionneur japonais. « S'il est jeune, comment peut-il avoir assez d'expérience pour prendre une décision de ce type ? Seuls ses parents peuvent savoir quel mariage est bon pour lui et lui permettra d'élever la meilleure famille. Et vous dites que la femme est plus jeune ? Cela veut dire qu'elle a encore moins d'expérience que lui ! »

Mais ils réservent leur dédain pour l'idée que les Occidentaux se marient pour l'amour. « L'amour est une maladie temporaire, me disent-ils. Il est stupide de faire reposer quelque chose d'aussi important que la création d'une famille sur quelque chose d'aussi temporaire. » C'est toujours le sentiment dominant au Japon aujourd'hui, même si le « contenu » de la culture japonaise a changé. Alors que les adolescents japonais sortent peut-être plus souvent que leurs parents et passent sans doute plus de temps à se rencontrer dans des clubs, la plupart des mariages sont encore arrangés et rares sont ceux qui ont quelque chose à voir avec les sentiments. Ceci peut paraître terriblement dur à un Américain, mais il y a au moins un peu de logique : alors que près de la moitié des mariages américains se termine par un divorce, le taux de divorce au Japon est inférieur à 2 %.

Ce n'est pas pour suggérer que les cultures plus anciennes ont nécessairement une vision plus claire du monde. En fait, comme vous le verrez au cours de ce livre, il y a plein de cas dans lesquels l'approche « adolescente » est la plus efficace. Mais quand il s'agit d'amour, il est évident que la culture américaine est actuellement en position inconfortable. Une femme recherche Mr Parfait parce qu'elle croit les histoires qu'elle lit dans les livres ou qu'elle voit dans les films. Elle trouve quelqu'un qu'elle croit pouvoir changer en son homme idéal et elle est déçue lorsque ses efforts échouent. Un homme recherche Mrs Parfaite pour les mêmes raisons. Il trouve une femme qui l'excite et il croit qu'il restera dans cet état pour toujours, et il est déçu lorsque la maternité la détourne vers autre chose.

Cette quête de la perfection est, bien sûr, dans le Code : notre inconscient culturel nous pousse à mettre la barre très haut en matière d'amour. Mais, comme le taux de divorce de 50 % l'indique, le Code ne nous facilite pas la vie. Voilà un exemple où la compréhension du Code peut aider ceux qui sont frustrés par l'amour à s'éloigner du Code de manière productive. Si vous réalisez que votre inconscient s'attend à ce que vous échouiez, vous pouvez commencer à regarder l'amour avec des objectifs plus réalistes. Tout en comprenant et en respectant le désir de trouver Mr Parfait ou Mrs Parfaite, vous pouvez rechercher quelqu'un qui peut être un partenaire, un ami et un amant attentif, même si il ou elle ne pourra satisfaire tous vos besoins.

Un diamantaire important utilise le Code de manière distinctive. Une des composantes de son marketing se concentre sur les « fausses attentes » de l'inconscient américain en amour : ses campagnes de publicité mettent en scène des couples qui se servent du diamant pour proclamer leur amour éternel ou bien pour confirmer leur engagement après des années ensemble. Mais un autre élément de son marketing traite des conséquences des fausses attentes, de manière astucieuse : en mettant en valeur l'investissement et la valeur à la revente des diamants. Ces deux campagnes sont en plein dans le Code en prenant en compte notre croyance indéfectible dans la permanence de l'amour romantique et en suggérant un avantage lorsque ce rêve ne se réalise pas.

## POURQUOI LA SÉDUCTION NOUS REND-ELLE DANGEREUSEMENT INCONFORTABLES ?

> « J'avais onze ans. Je faisais des courses avec ma mère. J'avais déjà une silhouette, une jolie poitrine, mais ma mère ne voulait pas que je me maquille. Un homme me regardait et il est venu me parler. Ma mère est arrivée, comme Superman, en disant : "Vieux dégoûtant !" Elle m'a pris la main et nous sommes allées dans un autre rayon. Au début, je n'ai pas compris ce qui s'était passé. J'ai juste eu un sentiment de danger. » Une Américaine de cinquante-six ans, à propos de sa première empreinte de la séduction.

Lorsque la marque de cosmétique française L'Oréal m'a demandé de mener des séances d'empreintes sur la séduction, dans le monde entier, j'ai pu juxtaposer le Code culturel américain et le Code d'autres cultures qui avaient depuis longtemps dépassé l'adolescence. Il n'était pas du tout surprenant que le Code américain soit différent des cultures plus anciennes. Cependant, dès la première séance menée aux États-Unis, j'ai trouvé que les réponses étaient consistantes, à la fois révélatrices et surprenantes. Quelque chose dans la notion même de séduction nous rend inconfortables, nous, les Américains.

> « J'étais au jardin d'enfants. Ce petit garçon était très gentil avec moi, me répétant qu'il m'aimait bien, et jouant avec mes jouets. Un jour, il est parti avec l'un de mes animaux en peluche. Je l'ai vu, mais je n'ai pas pleuré ou dit quoi que ce soit parce

que je voulais qu'il revienne et qu'il joue avec moi. »
Une femme de cinquante et un ans.

Ces réponses ne ressemblaient en rien à celles que j'avais reçues ailleurs dans le monde. Bien sûr, chaque culture a ses propres images de la séduction et du rituel de séduction. Les Français, par exemple, ont une expression qui dit : « Ce n'est pas ce que vous avez, qui compte, mais ce que vous en faites. » À la différence des Américaines qui essaient de changer ce que la nature leur a donné, par la chirurgie esthétique, la liposuccion, le blanchissement des dents, et des heures en salle de sport, les Françaises essaient de mettre en valeur leur aspect naturel. En France, une femme passera deux heures devant un miroir pour essayer de donner l'impression qu'elle n'a pas passé de temps à se maquiller. Son but est de paraître aussi détachée que possible par rapport à ses capacités de séduction. Si une Française est maquillée de manière évidente, il y a des chances qu'on la prenne pour une prostituée.

Montrer que vous faites trop d'efforts pour séduire un homme lance le signal que vous êtes désespérée, ce que désapprouve la culture française. Cette attitude s'étend même aux noms des vêtements choisis pour la séduction. Le mot américain « négligé » vient du mot français « négliger ». Même si une Française peut être particulièrement désirable dans un négligé, son intention est de paraître se moquer complètement de ce qu'elle porte.

Le concept du maquillage et des préparatifs de séduction est sorti de manière très peu fréquente dans les séances d'empreinte américaines. Lorsque c'est arrivé, c'était généralement associé à la réprobation des parents.

> « J'ai eu ma première expérience de séduction lorsque j'étais une petite fille. Je volais le maquillage et le rouge à lèvres de ma mère, et avec deux amies nous jouions à être adultes, en portant les talons hauts de ma mère, en marchant lentement, en essayant d'être des mannequins sur un podium. Ma mère arrivait et elle était furieuse parce que nous avions abîmé ses produits de maquillage. » Une femme de cinquante-cinq ans.

Par opposition, les Anglais mènent ce ballet de la séduction de manière nettement plus bruyante et un seul sexe semble vraiment danser.

Les hommes anglais ont un lien remarquablement fort les uns avec les autres, peut-être plus fort que dans n'importe quelle autre culture. Parce qu'ils estiment que seuls d'autres hommes peuvent comprendre leurs sentiments, toutes leurs amitiés importantes sont avec d'autres hommes. Ils passent un bon bout de temps dans les clubs réservés aux hommes, et la plupart de leurs sorties nocturnes sont avec d'autres hommes, même s'ils rentrent avec une femme à la fin de la soirée.

Cela mène, de manière compréhensible, à une vraie déconnexion avec les femmes qui se trouvent rejetées. Le manque d'attention des hommes de leur propre culture est extrêmement frustrant et déprimant. Parce qu'elles se sentent négligées et non reconnues, les jeunes Anglaises se préparent à la séduction d'une manière qui est presque l'exact opposé des Françaises. Elles s'habillent de façon extravagante pour attirer l'attention. Elles portent des minijupes guère plus longues qu'une ceinture, elles exposent leur ventre, ornent leur nombril de bijoux, et elles teignent leurs cheveux de différentes couleurs, en général en même temps. Elles font des efforts pour être remarquées.

Pourtant, les hommes ont tendance à rester distants. Le détachement est la signature de l'Anglais. (Pensez à la scène dans le film *Titanic*, où, alors que tout le monde se précipite pour se sauver du navire qui coule, un Anglais continue à jouer aux cartes, en disant : « J'ai une bonne donne, j'aimerais terminer. ») Il est rare de voir un Anglais marchant dans la rue, repérer une jolie femme et lui faire un compliment.

Cela ne fait qu'inciter les Anglaises à redoubler d'efforts. Vu la direction que cela prend, on peut imaginer ce que sera la mode à Londres dans quelques décennies.

Les Américaines sont rarement aussi provocantes. Encore une fois, ceci est le reflet de notre adolescence culturelle, une période connue pour sa gaucherie et son manque de certitudes. En Amérique, il y a une peur souterraine des conséquences d'un comportement trop ouvertement sexuel, illustré par cette réponse d'un participant lors d'une séance :

> « Lorsque j'étais au lycée, j'ai vu deux gars essayer d'attraper une fille. Ils jouaient, mais tout à coup la lutte a dégénéré. L'un des garçons a touché

le sein de la fille et elle lui a mis un coup de poing dans le nez. Le professeur est arrivé. Elle a dit que les garçons avaient essayé de la violer. Ce fut la pagaille. Depuis, je n'ai jamais voulu jouer à ce jeu avec les garçons. » Une femme de vingt-cinq ans.

La culture italienne, culture ancienne, envoie des messages inconscients très différents à ceux qui y sont nés. Les Italiens considèrent la séduction comme un jeu subtil et joyeux. Les Italiens adorent les femmes et aiment tout en elles. Ils sont plus en contact avec leur côté féminin que les hommes de n'importe quelle autre culture (n'oubliez pas, lorsque nous parlons d'un Code culturel, nous ne disons pas que tout le monde est identique, mais que ce système de référence est disponible à tout le monde dans cette culture). Ils passent plus de temps que les femmes elles-mêmes à s'apprêter. Ils utilisent abondamment les cosmétiques, du shampooing pour bébé pour que leurs cheveux soient plus doux, mettent de la crème et des produits sur la peau pour garder une apparence jeune, et ils prennent un soin extrême à la manière dont ils s'habillent – à leurs vêtements, leurs chaussures et leurs parfums. Ils sont sans doute les hommes les plus élégants au monde, et le but de cette élégance est la séduction.

Parce qu'ils ont un côté féminin aussi développé, les Italiens communiquent très facilement avec les femmes ; les Italiennes les aiment pour cela. Et les étrangères répondent différemment aux Italiens qu'aux hommes d'autres cultures. Alors que dans leur pays, elles seraient sans doute offusquées si les hommes les sifflaient (pensez aux Américaines passant près d'un chantier), elles sont souvent charmées si la même chose se produit dans une rue italienne. En grande partie, c'est parce que les Italiens montrent que leurs intentions sont de s'amuser mais pas de manière menaçante ou salace. Leur lien fort avec les femmes rend ce message évident.

En réalité, la séduction est plus qu'un passe-temps pour les Italiens que pour les représentants des deux sexes dans n'importe quelle autre culture. C'est un jeu dans lequel il est beaucoup plus important de jouer que de gagner. Un Italien approchera une femme qu'il ne connaît pas et lui dira qu'elle est belle et qu'il est tombé instantanément amoureux d'elle. Et si la femme n'est pas intéressée, il sourira, haussera les épaules et reprendra son chemin. Cinq minutes plus tard, vous le trouverez en train de faire la même chose avec une autre femme et, si le résultat est le même, il continuera jusqu'à ce qu'il rencontre quelqu'un qui le trouve irrésistible. Ce qui est remarquable, c'est qu'il a une bonne chance, avec cette approche, de réussir.

J'ai peu senti ce côté joueur des Américains dans les séances de découverte que j'ai menées. Au contraire, les participants mâles évoquaient de manière consistante les émotions adolescentes de confusion, de déception et de dépression.

> « Je n'ai jamais été bon à ce jeu. J'étais très mal à l'aise avec les filles. Elles riaient toujours et je ne savais pas pourquoi. J'avais honte, mais je ne savais pas pourquoi. » Un homme de vingt ans.

« Lorsque j'étais enfant (de quatre ou cinq ans), les gens me disaient que j'étais mignon. À l'école, j'avais une copine de mon âge. Nous étions toujours ensemble, parfois en nous tenant la main. Le professeur en a parlé à nos parents et je n'ai plus eu le droit d'être avec elle. Je crois qu'elle était mon premier amour. J'étais tellement triste que j'ai pleuré pendant des jours. » Un homme de trente-cinq ans.

« J'avais des principes. Mes amis riaient et me disaient que je ne baiserais jamais, que j'étais trop laid. Mes copains parlaient toujours de sexe, au lycée. Je n'étais pas à l'aise avec eux. Je voulais trouver une fille qui m'aimerait. J'avais peur de ne pas savoir quoi faire. » Un homme de trente-huit ans.

Bien que la culture japonaise soit également une ancienne culture, les hommes expriment souvent les mêmes sentiments d'inconfort que les Américains. Cependant, la raison en est très différente. Parce que les mariages arrangés demeurent la norme au Japon, les hommes n'ont pas développé la technique pour attirer les femmes. L'un des passe-temps favoris des Japonais consiste à aller dans des bars où ils paient des « hôtesses » des sommes énormes pour qu'elles leur servent du whisky et qu'elles les écoutent pendant qu'ils se saoulent. Ils s'entourent de geishas – parfois trois ou quatre en même temps – et font peut-être l'amour avec ces femmes lorsqu'ils ne sont pas complètement ivres, mais ils semblent totalement incapables de faire la cour à une femme ou de chercher à la séduire. Cela vient d'une culture qui leur enseigne que l'amour est sans importance et même dangereux (« une maladie temporaire »).

Le travail que j'ai mené au Japon montre que la séduction est une activité très subtile pour chacun des deux sexes. Les femmes passent beaucoup de temps à s'assurer que leurs cheveux sont propres. Elles font également extraordinairement attention à leur cou, le mettant en valeur avec des crèmes et du maquillage. Ensuite, elles remonteront leurs cheveux immaculés et porteront le col de leur kimono pour exposer leur cou de la manière la plus flatteuse possible. Elles font cela pour attirer les hommes, et le Japon est la seule culture à laquelle je pense qui fait ceci avec une partie du corps qui n'a rien à voir avec le processus de reproduction.

Dans le monde entier, les séances de découverte du concept de séduction étaient captivantes, bien qu'elles soulignent souvent des choses que j'avais déjà apprises. Les séances américaines étaient les moins prévisibles, malgré ce que je savais sur les cultures adolescentes. En tout, trois cents personnes de villes différentes ont participé aux séances, m'offrant un coup d'œil non seulement sur leur première image de la séduction, mais aussi sur les souvenirs les plus forts ainsi que sur les plus récents. Cela m'a fourni neuf cents messages sur lesquels travailler et un thème commun à identifier.

> « La première fois que ma mère m'a dit de garder ma jupe baissée lorsqu'il y avait des garçons, cela n'avait aucun sens pour moi, à l'époque. Pour-

quoi pas devant les filles également ? Plus tard, j'ai compris. » Une femme de quarante-cinq ans.

« Aucune idée sur la séduction. Rien ne me revient. Peut-être boire une bière avec des amis, parler fort, offrir une bière aux filles, boire avec elles. Et rentrer chez moi. » Un homme de quarante ans.

« Je sortais avec un homme plus âgé. Il était gentil, mais il voulait toujours que je porte une jupe. Je pensais que c'était vieux jeu. J'aime mes jeans. Jusqu'à ce qu'il me dise que ça l'excitait lorsque je portais une jupe. Je ne le vois plus. » Une femme de quarante ans.

Ces images de colère et de confusion sortent souvent pendant les séances – comme les histoires de « séducteurs cachés », de messages subliminaux, d'hypnose et de malhonnêteté. C'était un trait de l'adolescence que je n'avais pas anticipé : le soupçon, la peur d'être contrôlé, et la rébellion contre tous ceux qui « me disent ce que je dois faire ».

Comme je l'ai déjà dit, l'émotion est la clé de l'apprentissage. Lorsque l'émotion qui aboutit à une impression est négative, l'impression risque d'être également négative. Dans la société américaine – et la constance des réponses durant les séances de découverte rendait ce fait abondamment clair – la séduction est associée à quelque chose de négatif. Lorsque les Américains pensent à la séduction, ils imaginent être forcés de faire des choses qu'ils ne veulent pas faire, ou bien qu'ils croient qu'ils ne devraient pas faire.

Le Code culturel américain pour la séduction est : MANIPULATION.

Parce que nous avons un regard aussi négatif sur la séduction, nous portons un haut degré de suspicion sur toutes les relations entre hommes et femmes. Même lorsque les avances sexuelles ne sont pas agressives, le message inconscient de « manipulation » est présent. L'Amérique a inventé le concept de « Bataille des sexes ». Les livres américains et les talk shows exhortent sans arrêt leurs audiences à dénoncer la manière dont un sexe traite l'autre. Des films extrêmement populaires illustrent la manière dont les hommes et les femmes se manipulent pendant la période où ils cherchent à se séduire. Ces livres, ces émissions, et ces films utilisent parfois l'humour pour faire leur démonstration, mais le message sous-jacent n'est absolument pas drôle : la séduction nous rend très, très mal à l'aise.

Après cette découverte, L'Oréal décida de s'éloigner du Code dans son marketing. Alors que les publicités, en France, étaient très sensuelles et respiraient la séduction, la dernière chose qu'ils souhaitaient était que les consommateurs américains se sentent mal à l'aise ou bien manipulés lorsqu'ils présentaient leurs produits. Ils décidèrent que leurs publicités auraient un ton clairement non sexuel, qu'elles se concentreraient sur le fait de se sentir bien. La raison pour utiliser les produits L'Oréal n'était pas pour séduire un homme, mais plutôt pour se sentir sûr de soi : « Parce que vous le valez bien. » Leurs campagnes parlaient de nourrir, de prendre soin de sa peau et de ses cheveux, en évoquant les images inconscientes de la maternité plutôt que celles de la manipulation.

En évitant le Code de la séduction dans sa publicité, L'Oréal a trouvé une stratégie gagnante. Ils sont « sortis » du Code de manière productive. Lorsqu'un annonceur sait qu'associer un produit avec un certain Code déclenchera des sentiments négatifs, il peut décider de mettre le Code complètement de côté. Une autre approche, particulièrement utile lorsqu'une association négative est inévitable (comme nous le verrons pour le Code de l'alcool), est de reconnaître subtilement le Code de manière à en amoindrir l'impact.

Cette dernière stratégie est utile pour toute personne essayant de séduire. Après tout, il n'y a pas moyen d'éviter de se lancer dans la séduction, à moins d'être résigné au célibat. L'honnêteté désarmante est un outil utile : faire en sorte que l'objet de notre affection connaisse notre intérêt directement afin d'éviter tout sentiment de tricherie ou de manipulation. Le Code négatif est toujours là, mais l'honnêteté – la reconnaissance non dite du Code – en amoindrira la force.

« LES AMÉRICAINS NE FONT PAS L'AMOUR,
ILS ONT DES PROBLÈMES SEXUELS. »
MARLÈNE DIETRICH

La vision adolescente du monde inclut quelques zones grises. Les adolescents tendent à voir seulement les extrêmes : les choses sont bien ou mal, intéressantes ou sans intérêt. Cette façon de penser est partout présente dans notre culture adolescente et vous en verrez des exemples à travers ce livre. L'un de ces exemples est le Code pour le sexe.

Connaissant les Codes pour l'amour et la séduction, j'ai approché le Code pour le sexe en m'attendant à ce qu'il reflète un certain niveau de malaise. Pour moi, c'était évident que les Américains ressentaient un degré significatif de stress lorsqu'il s'agissait de relations intimes. Pourtant, je ne pensais pas que les réponses, lors de mes séances de découverte, soient aussi extrêmes.

> « Tous les garçons sont des chiens. On sait ce qu'ils veulent. Nous leur donnons... parfois. Mais nous savons pourquoi ils nous disent qu'ils vous aiment. » Une jeune fille de quatorze ans.

> « Lorsque j'avais onze ans, j'étais avec ma sœur, qui avait douze ans, et ses amis. Nous étions assis en haut des escaliers d'une école élémentaire de notre quartier. L'amie de ma sœur nous a parlé de sexe parce qu'elle venait juste de le découvrir. Cela m'a vraiment fait peur. Je ne comprenais pas la logique derrière cela. » Une femme de quarante-deux ans.

> « Je me souviens que j'en avais terriblement envie. C'est la seule chose à laquelle j'ai pensé pendant des années. Mais quand, finalement, j'ai fait l'amour pour la première fois, c'était terminé rapidement et j'avais l'impression que quelqu'un m'avait trompé en me disant que c'était génial. Je m'attendais à ce que ce soit fantastique, mais au lieu de cela, je

me sentais abattu. C'était une telle déception que cela faisait peur. » Un homme de trente-six ans.

« En 7e, avec mes amis, nous avons lu le livre *Are You There God ? It's Me, Margaret* (de Judy Blume). On y parlait de sexe. Je suis rentrée chez moi et je l'ai montré à ma mère, me demandant de quoi il était question. Pour la première fois, elle me raconta comment cela se passait. J'étais effrayée et angoissée. » Une femme d'une quarantaine d'années.

« J'avais onze ans et j'étais un garçon manqué quand ma puberté a commencé. Je ne voulais pas devenir une femme. J'étais une enfant très sérieuse et mes parents ne m'avaient pas suffisamment préparée pour ce changement dans ma vie. Je me demandais comment j'allais traverser l'adolescence. » Une femme de cinquante ans.

« Lorsque j'étais adolescent, j'ai découvert que la meilleure amie de ma grande sœur était stripteaseuse. Dès que je la voyais, je voulais lui arracher ses vêtements et tout de suite faire l'amour avec elle. Mes hormones étaient en folie. » Un homme de trente-quatre ans.

Régulièrement, les participants parlaient de gagner et de perdre, de prendre des choses ou qu'on leur prenne quelque chose, même de domination et d'être dominés. Et quand ils parlaient du sexe comme d'une expérience agréable, l'histoire se terminait toujours de manière sombre.

Lorsque je lis ce que les gens écrivent durant ces séances de découverte, je ne regarde non pas ce qu'ils disent (souvenez-vous, vous ne pouvez pas croire ce que disent les gens), mais le message partagé. Je ne regarde pas le contexte, mais la grammaire. Pas le contenu mais la structure. En faisant cela avec ce que les gens ont écrit sur la sexualité, j'ai remarqué quelque chose dans la cadence des phrases, dans l'occurrence régulière des mots comme « effrayé », « effrayant » et « angoissé », et des phrases telles que « je me sentais abattu » ou bien « je me demandais comment j'allais m'en sortir » ; dans l'utilisation de phrases courtes et d'un certain essoufflement dans le ton. Cela évoquait une confrontation, mais pas réglée de manière paisible entre les deux parties qui en sortent vainqueurs. Cela rappelait plutôt le genre de confrontation dans laquelle il y a toujours au moins un perdant et souvent deux. Une confrontation violente.

En réalité, le Code culturel américain pour la sexualité est : VIOLENCE.

Ceci illustre le mode de pensée extrémiste d'une culture adolescente. Comme nous ne sommes pas à l'aise avec la sexualité, nous l'assimilons à l'extrême opposé du plaisir, à quelque chose qui provoque la souffrance et la mort. Il est également évident qu'en tant que culture, nous sommes bien moins gênés par la violence que par le sexe. Nous considérons mal élevé de parler de sexe à la table du dîner, mais nous tolérons de longues conversations sur la guerre, la criminalité, ou bien le dernier film d'action. Si un homme prépare un voyage de chasse avec l'intention ouverte de tuer quelque chose, il peut en parler à ses amis et à ses collègues de travail et peut-être exhiber des photos de lui à côté de son « trophée ». Mais si deux collègues non mariés préparent un rendez-vous dans un hôtel proche, ils ne diront sans doute rien sauf à leurs confidents les plus proches. Le FCC, l'équivalent du CSA en France, impose des amendes aux chaînes de télévision qui montrent des femmes en train d'allaiter (comme si c'était un acte sexuel), mais n'importe quel soir, ces mêmes chaînes peuvent diffuser des simulacres de meurtres et de mutilations, sans risquer d'amendes.

Vous vous souvenez peut-être du film de 1989, *La Guerre des Rose*. Le film raconte un mariage extrêmement acrimonieux entre un personnage joué par Michael Douglas et un autre interprété par Kathleen Turner. À la fin, leur bataille devient un conflit physique total et les combattants tombent du balcon de leur entrée pour s'écraser au sol. Alors que les deux sont allongés, proches de la mort, Michael Douglas se tourne vers Kathleen Turner et lui demande : « Est-ce que cela fut aussi bien pour toi que pour moi ? » Cette question sexuelle à la fin d'une confrontation mortelle est parfaitement dans le Code. Ce que le metteur en scène, Danny DeVito, et le scénariste, Michael Leeson, avaient compris, c'était que les Américains ont inconsciemment remplacé le mot sexe par violence. Notre culture populaire est remplie de connexions sexe/violence. Régulièrement, le hip hop chante les louanges d'une sexualité brutale. Il existe tout un sous-genre de romans à l'eau de rose appelés thrillers romantiques, dans lesquels les amants se rencontrent au milieu d'histoires de tueurs en série, de meurtriers de masse, et de terroristes. Et combien de fois avons-nous vu ce cliché cinématographique dans lequel les couples se giflent avant de tomber dans les bras l'un de l'autre ?

Il n'est pas difficile de trouver des endroits dans notre culture où la frontière entre le sexe et la violence se brouille. Les hommes parlent de « clouer » et de « défoncer » une femme lorsqu'ils couchent avec elle. Les femmes s'amusent à parler de castrer un homme s'il les trompe. Les drogues du viol prolifèrent sur les campus des lycées et des universités. Nous parlons couramment des bars pour célibataires comme des « marchés à viande ». Tout ceci nous est familier.

Plus haut, nous avons vu comment L'Oréal avait choisi d'éviter dans son marketing les messages négatifs associés à la séduction. Le Code pour le sexe en est un autre, pourtant les marques américaines utilisent le sexe pour vendre leurs produits – avec beaucoup de succès – tout le temps.

Lorsque les annonceurs utilisent le sexe, ils se servent du Code. Bien que la plupart d'entre eux ne réalisent pas – et ils seraient surpris de l'apprendre – qu'ils associent leurs produits à la violence, cela fonctionne pour une simple raison : les Américains sont fascinés par la violence. Considérez ce cliché : la semaine se terminant le 9 octobre 2005, l'émission de télévision numéro 1 dans le pays était *CSI*, une série dramatique remplie d'images de crimes horribles. Le numéro 2 était *Desperate Housewives*, une série sur des banlieusardes sexy, comprenant plusieurs rebondissements avec des meurtres. Cette semaine-là, chacune des cinq émissions en tête avait un thème violent. La même semaine, le film numéro 1 dans le pays était

*The Fog*, un film d'horreur ; numéro 4, *Flightplan*, un thriller violent ; en numéro 6, *Domino*, un film d'action sur une femme justicier ; et en numéro 8, *A History of Violence*. La location de vidéo numéro 1 était *The Amityville Horror*, et les CD numéro 2 et numéro 4 étaient des albums de gangsta rap. Les Américains détestent peut-être la vraie violence, mais ils trouvent la violence simulée fascinante. C'est une autre excroissance de notre adolescence culturelle : comme adolescents, nous nous sentons immortels, indestructibles, et nous sommes attirés par la violence pour tester notre invincibilité. Lorsque les marques utilisent le sexe dans leur publicité, elles jouent avec cette fascination.

## PRISONNIER DES MONTAGNES RUSSES

Les cultures changent à une vitesse glaciaire. Nous ne verrons pas la fin de notre adolescence culturelle de notre vivant. Ni nos enfants, ni leurs enfants. Cela signifie que les Codes pour l'amour, la séduction et la sexualité seront les mêmes dans des générations, ce qui n'est pas notre meilleur legs. L'adolescence est comme un tour de montagnes russes et vous allez voir dans les pages suivantes comment notre adolescence culturelle, qui nous entraîne vers des bas inconfortables, nous entraîne également vers quelques hauts extraordinaires.

# 3.

# VIVRE SUR L'AXE

## Les Codes pour la beauté et le poids

La vie est tension. Tout ce dont nous faisons l'expérience dans la vie se situe quelque part sur un axe entre deux extrêmes. On ne peut vraiment connaître le plaisir sans la douleur. On ne peut réellement connaître la joie sans avoir ressenti la tristesse. La puissance avec laquelle nous ressentons une expérience dépend de sa position sur un axe (un peu douloureux, extrêmement joyeux, et ainsi de suite). Le même système qui communique la douleur à notre cerveau communique également le plaisir, comme le sait tout sadomasochiste.

Des tensions similaires définissent les cultures. Chaque culture est composée d'un nombre infini d'archétypes et de tensions entre un archétype et son opposé. Par exemple, dans la culture américaine, une des principales tensions se manifeste entre la liberté et l'interdiction. Nous considérons la liberté comme un droit inaliénable. Nous avons mené de nombreuses guerres pour la protéger, et nos citoyens sont prêts à mourir pour la conserver. Mais, en même temps, notre culture est très encline à interdire. Nous croyons que l'on ne doit pas trop boire, trop jouer, ou bien trop exposer sa richesse. Alors que l'axe ne change jamais, le point où se situe une culture change d'une époque à une autre. À différents moments de notre histoire, par exemple, notre culture s'est trouvée en des points différents sur l'axe Liberté-Interdiction (penchant fortement du côté de la prohibition dans les années 1920, et loin dans la direction opposée à la fin des années 1960 et au début des années 1970), mais la force contraire était toujours présente (les bootleggers dans les années 1920, la majorité silencieuse dans la période plus récente). Cette tension est une constante dans notre culture et elle l'aide à être ce qu'elle est.

Le même archétype dans une autre culture peut avoir une force contraire différente. En France, par exemple, l'archétype qui se situe de l'autre côté de l'axe de la liberté n'est pas l'interdiction ; c'est le privilège. À travers toute leur histoire, les Français ont oscillé entre des périodes pendant lesquelles une classe privilégiée a dominé, et des périodes pendant lesquelles cette classe est renversée et privilèges et titres abolis. L'exemple le plus célèbre s'est produit, bien sûr, en 1789, bien qu'il soit intéressant de noter que Napoléon a inauguré une nouvelle ère de titres et de privilèges peu de temps après. Aujourd'hui, la France s'est à nouveau déplacée vers la liberté, mais il existe toujours une tension réelle, conséquence de l'adoption par le Parti communiste des dogmes de la classe privilégiée (peu ou pas de travail, responsabilité du gouvernement pour le bien-être financier des citoyens, etc.). Les Français font respecter strictement la semaine de 35 heures et ils ont six semaines de vacances, les soins médicaux gratuits, et l'éducation gratuite. Ce serait sans doute un choc pour les Français de m'entendre décrire ce style de vie comme aristocratique, mais bien que le contenu du comportement ait changé, la structure est très conforme au le modèle aristocratique : l'idée que le travail est mauvais et indigne de la condition d'une personne de bien. Alors qu'il n'y a que peu de vrais aristocrates en France, cette idée du privilège existe, symbolisée par un système où l'on reçoit plus d'argent au chômage que dans bien des emplois.

Lorsque Disney a lancé EuroDisney à Paris, ils ont découvert combien les privilèges étaient importants dans la culture française. Au départ, le parc avait les mêmes règles que tous les autres parcs. Il interdisait les animaux domestiques, la cigarette et la consommation d'alcool. Les Français l'évitèrent en nombre parce qu'ils n'appréciaient pas toutes ces restrictions. Disney s'est imposé sur le marché français seulement lorsqu'ils ont commencé à offrir des « laissez-passer privilégiés » qui permettaient l'accès (pour un premium) à certaines parties du parc où les visiteurs pouvaient emmener leur animal, fumer et boire du vin. L'idée d'îlots de privilège dans des océans d'égalité était juste dans le Code des Français.

## LA BEAUTÉ COMME UN EXERCICE D'ÉQUILIBRISME ET NOBLE QUÊTE

Lorsque Cover Girl (une filiale de Procter & Gamble) m'a engagé pour trouver le Code culturel pour la beauté en Amérique, la tension liée à cet archétype a émergé dès mes premières séances d'exploration.

Les participantes, élevées dans une culture dans laquelle le Code inconscient pour la sexualité est VIOLENCE, ont, de manière consistante, raconté des histoires dont le message non exprimé était que l'on devait trouver un équilibre entre être séduisante et être provocante. Elles donnèrent clairement l'impression qu'il existait une frontière entre être belle et être trop sexy et que si elles la franchissaient, elles se mettaient en danger.

C'est vrai que des messages soutiennent cette idée dans toute la culture américaine : un juge qui décide que la victime d'un viol avait provoqué son agresseur par son apparence ou ses actes, par exemple, ou un mannequin dont le visage est lacéré parce que son agresseur la trouvait trop belle. En conséquence, les Américaines naviguent sur un axe entre beauté et provocation, s'approchant le plus possible de la ligne entre les deux sans la traverser. Inconsciemment, elles accumulent une liste de règles à suivre : les talons hauts sont bien pour un événement mondain, mais trop sexy pour le travail ; une robe seyante et décolletée est acceptable pour un cocktail avec votre mari, mais si vous êtes célibataire et que vous la portiez dans un bar, vous êtes en chasse. Un maquillage provocant peut convenir pour faire la fête un soir, mais au supermarché, attendez-vous à attirer des regards. L'une des raisons pour lesquelles la marque de lingerie Victoria's Secret a un tel succès est que l'entreprise permet aux femmes de naviguer facilement sur cet axe : elles peuvent être aussi féminines et sexy qu'elles le désirent *sous* leurs vêtements, la face cachée. La lingerie est une façon sans risque d'être à la fois belle et provocante. Le nom de l'entreprise lui-même suggère cet axe, la tension. D'un côté, nous avons « Victoria », qui suggère la rigidité victorienne, la répression ; de l'autre, le « Secret », le cabinet secret, l'expression interdite de l'attraction sexuelle et de la beauté.

Découvrir cette tension m'a beaucoup appris sur la perception de la beauté dans cette culture. Être une femme en Amérique est difficile. Je plaisante souvent (à moitié) en disant que si je me réincarne un jour, j'espère ne pas revenir dans la peau d'une Américaine. Bien que j'admire beaucoup les Américaines, je ne voudrais pas subir ce qu'elles subissent. Tellement de règles, tellement de tensions.

Comprendre la tension ne fut cependant qu'une partie de mon travail pour Cover Girl. Afin de découvrir le Code, j'avais besoin de creuser davantage dans ces récits, d'ignorer ce que les participantes racontaient pour rechercher ce qu'elles voulaient vraiment dire.

> « J'avais environ quatorze ans et j'avais été invitée à une grande fête. Je savais que j'avais besoin d'une nouvelle tenue. Je voulais vraiment être belle.

Il y avait un type que j'aimais bien. J'ai donc demandé à ma mère de l'argent. Je suis allée à la boutique et j'ai trouvé exactement ce que je cherchais. J'ai essayé cet ensemble et j'étais sexy. J'ai dansé toute la nuit avec ce garçon et nous avons commencé à nous voir. J'ai pensé que ces nouveaux vêtements m'avaient aidée. » Une femme d'une cinquantaine d'années.

« L'été dernier. En vacances avec ma famille. Cinq kilos de moins que d'habitude. Superbe coupe et couleur, jolie peau, manucure, pédicure, bronzage. À une fête, j'ai dansé avec mon mari sur la terrasse. Je me sentais jeune et amoureuse. Mon mari ne pouvait pas me quitter des yeux. Il m'a dit qu'il était fier d'être avec moi. » Une femme de quarante-deux ans.

« La seule fois où je me souviens d'avoir été bien c'est lorsque je me suis remariée, il y a dix-huit ans, avec un homme formidable après avoir été seule pendant dix-sept ans à cause d'un mariage malheureux. Mais il est malencontreusement mort trois mois après cette expérience merveilleuse. Depuis, je ne me suis plus jamais trouvée bien. » Une femme de soixante-cinq ans.

« Mon souvenir le plus fort de m'être sentie belle, c'était lorsque j'avais quatorze ans. J'avais des seins, mes règles, tout le truc. Je suis tombée amoureuse de ce type très gentil, qui avait cinq ans de plus que moi. Tout mon univers a changé. » Une femme d'une trentaine d'années.

« J'avais trois ou quatre ans et le cousin de ma mère est venu nous rendre visite. Il a fait toute une histoire sur mon sourire et sur le fait que j'étais toujours joyeuse. » Une femme de cinquante-trois ans.

« En 1970, j'ai rencontré un homme prénommé Charles, et nous avons commencé à sortir ensemble. Un jour, nous sommes allés en ville pour dîner. C'était en juillet ; j'avais été à la plage et donc j'avais un super bronzage. J'avais été chez un nouveau coiffeur ce jour-là et mes cheveux étaient parfaits. Je portais un short très court. Je marchais à côté de Charles avec mes épaules en arrière, les cheveux au vent et je me sentais comme une star de cinéma. » Une femme de cinquante-six ans.

« Mon amant m'avait préparé une fête d'anniversaire pour mes trente ans. Je portais une robe noire en dentelle. Avant la fête, on sentait l'excitation et le sentiment d'anticipation. J'étais belle et j'étais aimée. Je me sentais chérie. J'étais la personne la plus importante pour l'autre personne. » Une femme de trente-six ans.

Les réponses de centaines de participantes dans cette recherche révélaient quelque chose de très poignant sur la façon dont les Américaines considèrent la beauté. Lorsqu'on leur demande de retrouver les premiers souvenirs de leur beauté et aussi les plus forts, elles se souviennent de moments romantiques où elles ont attiré l'attention d'un homme. Se sentir bien était associé au fait de danser toute la nuit avec un homme particulier, avec un mariage bref et merveilleux, avec le fait d'être amoureuse, de se sentir comme une star de cinéma, ou chérie par un amant. Beaucoup de ces récits révélaient quelque chose d'encore plus profond. Des déclarations telles que « Il était fier d'être avec moi », « Il a fait tout une histoire », et « J'étais la personne la plus importante pour l'autre personne », suggéraient que la beauté non seulement attirait un homme, mais aussi le changeait de manière substantielle. Une majorité des histoires que les femmes racontèrent étaient liées au fait de trouver des hommes qui seraient des partenaires pour la vie, non pas des flirts. Les hommes qui remarquaient ces femmes n'étaient pas des bons à rien, mais des hommes animés de sentiments forts et réels. Il y avait là quelque chose de très puissant.

Les hommes sont programmés pour le sexe et, quelles que soient ses protestations, l'homme moyen est prêt à faire l'amour avec à peu près toute femme acceptant de faire l'amour avec lui. Mais, si un homme remarque la beauté d'une femme, s'il s'arrête pour admirer sa beauté physique au lieu de la jeter sur son épaule comme un barbare, son âme s'élève à un autre niveau. Si une femme peut imposer sa beauté à un homme de manière permanente ; si, à ses yeux, elle peut rester belle, elle fait de lui un meilleur être humain. Mieux que de rester attirante physiquement : elle l'élève du stade de l'animal en rut à un état plus exalté.

Le Code pour la beauté, en Amérique, est : SALUT DE L'HOMME.

Pensez au film extraordinairement populaire *Pretty Woman*. Dans ce film, Julia Roberts jouait une prostituée engagée par un magnat au cœur dur, joué par Richard Gere. Lorsqu'elle ressemble à une prostituée, elle n'est rien d'autre qu'un jouet pour Gere.

Mais lorsqu'il a besoin qu'elle l'accompagne à une réception formelle et qu'elle s'habille élégamment, qu'elle se fait aussi belle (plutôt que provocante) que possible, elle gagne le cœur de Gere. Elle le sauve d'une vie de vide émotionnel.

On trouve un autre signe encore plus évident du Code à l'œuvre dans la culture populaire dans la série télé *Malibu*. Dans ce feuilleton, des femmes superbes (la plus célèbre étant Pamela Anderson) sont maîtres nageurs, sauvant des hommes (et des femmes, bien sûr) de la noyade et d'autres dangers de l'eau. Ces femmes accomplissent des actes héroïques en ayant l'air de tout juste sortir des pages du numéro de *Sports Illustrated* sur les maillots de bain.

D'autres pays ont des critères de beauté différents, en rapport avec leurs propres codes culturels. Dans les pays arabes, il y a un certain nombre de cultures différentes, mais elles partagent beaucoup de points semblables à cause de leur origine commune de nomades du désert. Une de leurs caractéristiques communes est la façon dont ces pays considèrent la beauté. Dans ces cultures, l'apparence d'une femme est considérée comme le reflet du succès de son époux. Si une femme est maigre, cela suggère que son mari n'a pas les moyens de la nourrir correctement. Par conséquent, les hommes arabes veulent que leur femme soit ronde affichant ainsi leur richesse.

En Norvège, la beauté est le reflet du lien de chacun avec le monde naturel. Les Norvégiens considèrent les femmes minces avec une carrure athlétique comme les plus belles, parce qu'elles sont actives, capables de courir et de skier sur de longues distances. Les Norvégiennes se maquillent peu et font peu de choses à leurs cheveux parce que le naturel est à l'honneur dans leur culture.

## LA BELLE VIE

La combinaison du Code américain et de la tension dans cette culture entre beauté et provocation peut être un peu étouffante pour les femmes. Elles ont besoin d'être belles pour sauver les hommes de leur vie et, de cette manière, les élever et perpétuer l'espèce. En même temps, elles ne doivent pas être trop belles parce que c'est dangereux. Une jupe trop courte conduira-t-elle à la perte de l'homme ou bien à son salut ?

La tension américaine derrière la beauté relève de l'adolescence. Les adolescents ont des vies faites d'extrêmes. Ils sont euphoriques ou déprimés, invincibles ou facilement battus. Le Code culturel de la beauté est le salut de l'homme, mais l'autre face de ce Code est la perdition. La chose qui peut vous sauver peut aussi vous condamner. C'est une tension très forte.

Heureusement, regarder la beauté à travers la nouvelle paire de lunettes fournie par le Code culturel rend l'axe un peu plus facile à naviguer. Les top model, par exemple, sont tout à fait dans le Code parce qu'elles maintiennent un niveau de beauté inaccessible. Les femmes peuvent aspirer à ce niveau de perfection sans ressentir aucune pression pour y arriver. Pourquoi ? Parce que les hommes – ces mêmes hommes qu'elles essaient de sauver avec leur beauté – regardent les top model et disent : « Je ne serai jamais avec une femme comme celles-là. » Les top model sont presque comme des membres bienveillants d'une race extraterrestre. Elles sont fascinantes à regarder et nous pouvons parfois glaner d'elles des trucs utiles, mais elles ne sont pas parmi nous. D'un autre côté, les prostituées et les femmes qui s'habillent de façon outrageusement provocante sont complètement hors Code parce qu'elles suggèrent aux hommes une manière facile de satisfaire leurs instincts les plus bas.

Récemment, Dove a lancé une série de publicités pour sa crème raffermissante qui montrait des femmes plus rondes et aux proportions plus ordinaires, en sous-vêtements. Le message derrière cette campagne est qu'il s'agit d'un « vrai » produit pour de « vraies » femmes. Alors que les médias ont loué cette campagne qui s'adresse aux femmes de manière authentique et leur montre qu'elles n'ont pas besoin d'être des top model, elle est hors Code. Lorsque la beauté est normalisée, lorsqu'il est suggéré que chaque femme est belle exactement comme elle est, la nature exaltée de la beauté est perdue. Si chaque femme peut devenir mannequin dans une campagne, qui peut alors sauver votre mari ? C'est une chose pour les mannequins de ressembler à « la fille d'à côté », même si une fille aussi belle existe dans très peu de quartiers en Amérique. Mais c'est une tout autre chose quand le mannequin peut littéralement être votre voisine. Le Code nous dit qu'une mystique extraordinaire entoure la beauté. Si cette mystique devient banale, quelque chose est perdu.

## L'OBÉSITÉ EST UN SPECTACLE

Il y a des années, Tufts University m'a invité à prendre la parole lors d'un symposium sur l'obésité. Comme j'intervenais relativement tard dans le programme, j'ai écouté les autres conférenciers en attendant mon tour. C'était un groupe d'intervenants distingués s'adressant à un groupe distingué et brillant. La salle était pleine de médecins, d'agrégés et d'une grande variété de professionnels accomplis. La foule pesait également son poids, mais d'une autre manière. Au moins un tiers des gens dans le public étaient obèses et facilement les deux tiers avaient un problème de surpoids.

Chaque orateur présentait des solutions pour le problème de l'obésité en Amérique et toutes tournaient autour de l'éducation. Les Américains seraient plus minces si seulement ils étaient plus informés sur les principes d'un bonne nutrition et sur les bénéfices de l'exercice, nous disaient-ils. Faire maigrir un pays entier était possible avec une campagne agressive d'information du public.

Je trouvais amusante la juxtaposition de ces prescriptions et de ces corps ronds qui remplissaient la pièce. Lorsque vint mon tour de parler, je ne pus m'empêcher de commencer par une observation. « Je trouve qu'il est fascinant que les autres intervenants aujourd'hui aient suggéré que l'éducation était la solution au problème d'obésité de notre pays », commençai-je. Je fis lentement un geste autour de la salle. « Si l'éducation est la solution, pourquoi cela n'a-t-il pas aidé plus d'entre vous ? » Il y eut quelques cris dans la salle lorsque je dis cela, quelques ricanements, et cinq fois plus de sourires méprisants. Sans surprise, Tufts ne m'a plus jamais réinvité.

Lorsque j'étais tout jeune psychanalyste, une femme est venue me voir avec sa fille adolescente qui était obèse. Cette femme voulait que je trouve ce qui n'allait pas chez sa fille et que j'aille aux racines psychologiques de ses problèmes de nutrition. J'ai parlé avec la mère et la fille ensemble, et ensuite j'ai eu plusieurs séances avec la fille seule. Lors de ces séances, la fille m'a raconté qu'elle n'avait pas eu de problème de poids jusqu'à la puberté. À cette époque-là, l'ami de sa mère a commencé à lui faire des avances inappropriées. Le copain de la mère a cessé de la draguer lorsqu'elle a commencé à devenir grosse. Du point de vue de la fille, tout allait bien maintenant.

J'ai reçu la mère seule et je lui ai raconté ce que sa fille m'avait dit sur son gain de poids et son rapport avec son ami. La femme fut agacée, m'a traité de vieux cochon (bien qu'à l'époque je ne fusse pas vieux), et a annulé les séances. Elle a emmené sa fille chez un médecin qui mit la fille au régime strict. Malheureusement, la mère ne s'est pas débarrassée de l'ami.

Environ un an plus tard, je fus surpris de voir sur mon agenda un rendez-vous avec la mère et la fille. Elles venaient me revoir parce que, bien que le poids ne fût plus un problème, la mère avait de nouvelles inquiétudes et elle reconnut à contrecœur que je pouvais peut-être l'aider. La fille avait maintenant de l'eczéma sur tout le corps. Il se trouve qu'après qu'elle eut perdu du poids, l'ami de sa mère a repris ses manières lubriques – jusqu'à ce que sa maladie de peau le repousse à nouveau. Mon conseil à cette mère fut le même : laissez tomber le type. Tristement, sa réponse à mon conseil fut la même. Je n'ai plus jamais revu la mère et la fille.

L'obésité est un problème significatif dans ce pays. Plus de 125 millions d'Américains sont en surpoids. Plus de 60 millions d'Américains sont obèses. Plus de 10 millions d'Américains ont été cliniquement diagnostiqués comme étant obèses de façon morbide. Ce sont d'excellentes nouvelles pour l'industrie des régimes alimentaires, mais inquiétantes pour le reste de l'Amérique. Quoi que l'on pense de l'importance de l'apparence physique ou bien de notre définition de la beauté, il existe des risques significatifs pour la santé liés au fait d'être trop gros. Contrairement à l'opinion de ces respectables panélistes de Tufts University, la plupart d'entre nous le savent, et pourtant, cette question persiste.

Pourquoi tant d'entre nous sont gros alors que l'on sait qu'être gros est mauvais ? Parce qu'être gros n'est pas un problème. Être gros est une solution.

Les psychologues sont conscients depuis longtemps que le surpoids est la réponse à un problème plutôt que le problème lui-même. Trop manger est un mécanisme répandu de protection pour ceux qui ont été sexuellement abusés. Ma patiente adolescente est devenue grosse parce que son inconscient avait compris qu'en faisant cela, elle devenait moins attirante pour le répugnant ami de sa mère. Lorsque sa mère l'a forcée à perdre du poids, son inconscient a trouvé une autre réponse.

Si près de la moitié de ce pays est en surpoids, il doit bien y avoir une raison culturelle à cela. Contre quoi lutte-t-on ? Après tout, le pourcentage d'Italiens en surpoids est la moitié de celui des Américains, et un récent best-seller du *New York Times* proclame que « Les Françaises ne grossissent pas ». (Pas vrai : en réalité, près d'un tiers des Françaises sont en surpoids, bien que ce soit beaucoup moins que les 62 % d'Américaines adultes.)

Comme toujours, les histoires que racontèrent ces participantes durant la troisième heure de nos séances d'exploration furent révélatrices. Certaines parlèrent de triomphe :

> « Après m'être battue avec la dizaine de kilos en trop pour ma taille, je suis devenue très déprimée, surtout lorsque je faisais du shopping. C'était un cauchemar parce que les vêtements ne m'allaient jamais et je n'osais pas regarder derrière moi. J'ai conclu un pacte avec moi-même pour finalement perdre ce poids avant qu'il ne soit "trop tard". J'ai perdu à peu près quinze kilos. Je me suis sentie très fière et forte. » Une femme de vingt-deux ans.

> « Lorsque j'avais douze ans, j'ai décidé que je devais commencer un régime parce que je commençais à m'intéresser aux garçons et qu'ils ne s'inté-

ressaient pas à moi. J'ai fait un régime à base de fromage blanc et de fruits, et j'ai perdu dix kilos ! J'étais heureuse et ma cousine Nancy, qui était mince et plus âgée que moi, m'a donné certains des shorts qui ne lui allaient plus, et ils m'allaient parfaitement. Je me souviens de notre voisine disant à ma mère que j'étais trop maigre. C'était super ! » Une femme d'une cinquantaine d'années.

Certaines parlèrent de tragédie :

« Lorsque j'étais en primaire, ma grand-mère paternelle a été diagnostiquée diabétique. Elle était née et avait grandi dans une ferme et avait vécu toute sa vie adulte en femme de paysan. Elle cuisinait avec du lard, du beurre, de la vraie crème. Pour le déjeuner, elle mettait typiquement sur la table trois viandes, quatre ou cinq féculents, quatre ou cinq légumes, et trois desserts. Et elle mangeait comme un paysan. Elle mesurait 1,50 mètre, et pesait plus de cent kilos. Elle est morte des complications liées au diabète, creusant sa tombe avec ses dents, en quelque sorte. » Une femme de trente-cinq ans.

« J'étais jeune, en CP, je crois. Je faisais des courses avec ma mère pour trouver mon uniforme pour l'école et le haut était trop serré autour des bras. Je me souviens m'être sentie mal, diminuée, d'une certaine manière. Je me voyais comme quelqu'un de mauvais parce que j'étais plus grosse que mes amies. Juste à cette époque, mon père est mort et cela a conforté mes sentiments négatifs. J'étais grosse. J'étais mauvaise. Mon père était mort. Par conséquent, je n'étais pas quelqu'un de bien et j'étais en quelque sorte punie en perdant mon père. » Une femme de trente-huit ans.

Certaines parlèrent avec tristesse :

« Ma cousine était une ravissante jeune fille. Mince, teint de porcelaine, yeux bleus, cheveux blonds très clairs. Mais elle était très rebelle et elle a fait des mauvais choix qui ont gâché sa vie. Je ne l'avais pas vue depuis un certain temps, jusqu'au printemps dernier. Elle est maintenant extrêmement obèse. On voit à peine les traits de son visage. J'ai été triste de voir ce changement et encore plus déprimée lorsque j'ai vu que ses trois enfants étaient également obèses. » Une femme de quarante-cinq ans.

« Je me souviens d'une sortie familiale à vélo lorsque j'avais quatre ou cinq ans. Mon père, mon frère, ma sœur et moi étions actifs. Notre mère faisait rarement des choses physiques avec nous à cause de sa taille et de son inconfort. Je me souviens qu'elle avait l'air ridicule sur la petite selle de la bicyclette. Elle avait l'air inconfortable. J'aurais voulu la rendre plus mince et plus à l'aise dans ses vêtements, qu'elle sorte, qu'elle soit plus active. » Une femme d'une cinquantaine d'années.

« Lorsque j'étais jeune, j'ai déménagé dans une nouvelle maison. Avant de déménager, je n'étais pas en surpoids. Lorsque nous avons déménagé, je suis resté à l'intérieur, à l'écart des autres enfants parce que j'étais triste d'être éloigné de mes amis. Tout cet été-là, je suis resté à la maison et j'ai pris du poids. Je voudrais changer cet été-là parce que cela changerait peut-être ce que je suis aujourd'hui. » Un homme d'une trentaine d'années.

D'autres parlèrent avec colère :

> « Récemment, je suis allée danser, et j'ai rencontré un homme qui m'intéressait assez. J'ai regardé son ventre, et il était gros, ce qui me dégoûte. Je n'étais plus intéressée par lui. Je suis repoussée par un homme qui est gros. Je ne pourrais jamais être attirée par lui. C'est l'une des premières choses que je remarque chez un courtisan potentiel. » Une femme de soixante et un ans.
>
> « Je me rappelle rentrant à pied à la maison après l'école avec ma petite sœur, lorsque j'étais en sixième. Des gamins l'appelaient "gros lard" et les larmes dans ses yeux m'ont mise tellement en colère que j'ai couru après un garçon et que je lui ai mis un marron. Elle a des problèmes de poids depuis cette époque. » Une femme de quarante-neuf ans.

Quelque chose reliait toutes ces histoires et les centaines d'autres semblables. Que les participants parlent de vêtements, de ferme, de bicyclette ou de coups de poing n'avait aucune importance. Ce qui comptait c'était la manière dont ils en parlaient. Maigrir et être mince faisait que ces gens se sentaient « fiers et conquérants » de la façon dont leurs vêtements leur « allaient parfaitement ». Être trop gros, par contre, évoquait « la punition », « rester enfermé », et « un vrai repoussoir ».

L'axe de tension émergea dans ces récits. De la même manière que, pour la beauté, l'opposé de l'axe, pour les Américains, est la provocation, sur l'axe de la grosseur, l'opposé est la connexion. Notre culture croit que les gens minces sont actifs et impliqués. Ils sont « fiers et réussissent » et leurs vêtements leur vont bien. À l'inverse, les gros, selon ces récits, sont déconnectés de la société. Ils repoussent les autres, ils restent enfermés et ils sont en retrait de leur famille.

Cet axe est visible partout dans cette culture. Une femme restera mince dans les premières années de son mariage, mais après sa deuxième ou troisième grossesse, elle ne perd plus ses kilos. Pourquoi ? Parce qu'inconsciemment, elle se déconnecte de son mari pour se concentrer sur son rôle de mère. Un homme a du mal avec sa vie de cadre moyen et lorsqu'il prend quinze ou vingt kilos supplémentaires, il se plaint de ne pas avoir eu de promotion à cause de son poids. Les gens gonflent de plusieurs tailles après une rupture, la perte d'un travail, le départ de leurs enfants pour l'université, ou la mort d'un parent.

La tension est toujours présente. Nous utilisons peut-être des alibis, comme un « squelette lourd » ou un métabolisme lent. Nous parlons de « poignées d'amour », ou bien du fait que la vraie beauté « est intérieure ». Souvent, pourtant, ceux qui ont des problèmes avec leur poids ont également des problèmes avec l'une de leurs connexions – avec ceux que l'on aime, avec les rôles que nous jouons, avec « la course du rat ».

En Amérique, le Code pour gros est : DÉBRANCHÉ.

Al Gore n'est jamais devenu président des États-Unis, mais il est une représentation visuelle du Code. Lorsque Gore a perdu l'élection de 2000, il était légitimement perturbé, et il a disparu pendant quelques mois. Lorsqu'il accepta enfin de donner une interview, il avait une barbe et un surpoids considérable. La perte avait été si dévastatrice qu'il s'était débranché. Mais lorsqu'il a récemment tenu une conférence de presse pour annoncer le lancement d'une nouvelle chaîne câblée, il était à nouveau mince et en bonne forme. Al Gore avait un nouveau but. Il s'était remis en jeu.

Étant donné un tel Code, est-il surprenant qu'il y ait autant de gens trop gros dans notre culture ? Les Américains sont les maîtres dans l'art de se mettre une pression non nécessaire. Nous devons être des supermamans. Nous devons gravir l'échelle hiérarchique. Notre couple doit être digne d'un roman de la collection Harlequin. C'est énormément de pression. En réalité, pour nombre d'entre nous, c'est beaucoup trop. En conséquence, nous nous déconnectons. Il vaut mieux blâmer le poids que de reconnaître notre désir d'échapper aux attentes.

Prendre du poids est la manière inconsciente la plus aisée de sortir de la course du rat, d'adopter une identité forte (en tant que personne obèse), sans avoir à lutter pour cela, d'aller du mode actif au mode passif. Être gros nous permet de savoir ce que nous sommes (gros), pourquoi cela s'est produit (surabondance d'aliments que l'on nous a « imposés »), qui est responsable (McDonald's ou une autre chaîne de fast-food qui nous « fait » manger ses produits), et quelle est notre identité (victime). Être gros nous permet également d'accepter les alibis habituels pour retomber en enfance. Nous ressentons une autre tension : bébés ou jeunes enfants, nous sommes nourris avec l'intention de nous rendre ronds – personne ne veut d'un bébé maigre – mais en vieillissant, la société nous impose d'être minces. Si nous devenons assez gros, pensons-nous inconsciemment, peut-être que les autres prendront à nouveau soin de nous comme ils le faisaient lorsque nous étions bébés.

Dans d'autres cultures, être gros envoie un message très différent. Chez les Eskimos, être gros est un signe de résistance. Si on est gros, on peut résister aux terribles hivers lorsque la nourriture est rare. Dans la culture anglaise, être gros est un signe de vulgarité. La culture anglaise du détachement s'applique à la nourriture. Si vous regardez les Anglais – hommes ou femmes – à un buffet, vous les verrez approcher le buffet avec indifférence et choisir très peu de choses. De leur perspective, se comporter autrement est vulgaire, et toute personne qui mange trop, à en devenir grosse, est vulgaire.

## SE DÉBRANCHER DE SE DÉBRANCHER

Comprendre le Code nous permet de répondre à nos problèmes de poids de façon plus profonde qu'en mangeant des cheeseburgers au bacon sans le pain, d'acheter des machines pour faire de l'exercice qui finissent par rouiller à la cave, ou bien de consommer d'énormes quantité d'aliments à « calories négatives » avant de se coucher. La réponse n'est pas non plus simplement dans une bonne alimentation et un style de vie actif, même si les deux sont vitaux pour se maintenir en bonne santé. Avant de pouvoir trouver la solution du poids, nous avons besoin de répondre à une question fondamentale : De quoi je me débranche ?

Reconnaître que l'on mange lorsque l'on est stressé, déprimé ou dépassé par le monde, est tout à fait dans le Code. Si l'on comprend que le stress conduit à « débrancher », on peut prêter davantage attention au problème sous-jacent. Manger fait-il disparaître le problème ? L'excès de poids vous soustrait-il à la situation qui crée le problème (par exemple, en vous rendant peu attractif pour l'autre sexe ou bien en faisant de vous le mauvais choix pour cette importante promotion) ? Souhaitez-vous vraiment cette solution ?

On peut discuter leur sagesse nutritionnelle, mais la mode des régimes est dans le Code parce qu'elle offre aux consommateurs quelque chose sur quoi se brancher. S'embarquer dans le régime Atkins ou bien South Beach est un peu comme adhérer à un club qui aurait un grand nombre d'adhérents. Lorsque ces régimes sont au zénith de leur popularité, ils sont le sujet de conversation dans les cuisines, les files d'attente des supermarchés, les cafés et les cocktails, dans tout le pays. Les participants à ces régimes peuvent se brancher à une vaste sous-culture composée d'autres personnes perdant du poids de cette manière. Cela leur donne le sentiment d'être connectés. Bien sûr, ces régimes ont peu de valeur à long terme pour la plupart des gens parce qu'ils ne s'attaquent pas aux raisons pour lesquelles, pour commencer, les gens se sont débranchés. Comme nous l'a montré le Code, faire le plein d'hydrate de carbone est une solution ; trop de pâtes est rarement le vrai problème.

Weight Watchers est une entreprise qui fait un travail particulièrement efficace pour combattre le surpoids. Comme les régimes à la mode, Weight Watchers procure à ses membres un sentiment d'appartenance, grâce à ses réunions régulières. Comme les livres de régime, Weight Watchers propose des menus et des conseils alimentaires. Mais en plus cette entreprise propose des séances de thérapie pour aider ses membres à confronter leurs problèmes et (bien que Weight Watchers ne le formule pas de cette manière), les raisons pour lesquelles ils se sont débranchés.

## LA RECHERCHE DU SALUT

Côte à côte, les Codes pour la beauté et la grosseur nous donnent un aperçu de quelque chose de plus profond dans la manière dont nous considérons l'apparence physique en Amérique. Si vous êtes beau, nous l'avons vu, vous remplissez une mission noble ; si vous êtes gros, vous vous débranchez de ce rôle. Nous célébrons la beauté, nous sommes bouleversés par elle, nous y aspirons. Par opposition, nous pratiquons la discrimination contre les gros et nous marginalisons ceux qui sont morbidement obèses, bien que les femmes en surpoids constituent la majorité de la population féminine dans ce pays, et que le nombre de personnes en surpoids aux États-Unis est plus élevé que le nombre de personnes qui ont voté lors de l'élection de 2004. Nos nouvelles lunettes nous font voir quelque chose que la plupart d'entre nous ont observé, mais que peu comprennent vraiment : à quel point la recherche du salut est centrale à notre culture. Nous explorerons ceci davantage lorsque nous découvrirons le Code pour le travail et l'argent et que nous révélerons le Code pour l'Amérique elle-même.

# 4.

# D'ABORD SURVIVRE

## Les Codes pour la santé et la jeunesse

Tous les êtres humains naissent avec un cerveau divisé en trois parties. Une partie, le cortex (les hémisphères cérébraux), s'occupe de l'apprentissage, de la pensée abstraite, et de l'imagination. Le cortex est utilisé chez la plupart des enfants après l'âge de sept ans. Avant cela, les enfants n'ont pas les outils intellectuels pour faire des évaluations intellectuelles. Si vous prenez deux boules de pâte à modeler et que vous demandiez à un enfant « Sont-elles semblables ? » il vous répondra « Oui ». Si vous modelez l'une des boules dans la forme d'un serpent et demandez à cet enfant quel morceau de pâte est plus grand, il choisira l'un ou l'autre. Mais, posez la même question à un enfant de plus de sept ans, et il y a des chances qu'il réponde : « Vous croyez que je suis bête, ou quoi ? » Le cortex est l'endroit où réside la logique et où s'opère le raisonnement sophistiqué qui nous sépare des animaux.

Une autre partie du cerveau est le système limbique (l'hippocampe, l'amygdale et l'hypothalamus), siège des émotions. Les émotions ne sont jamais simples, elles sont souvent pleines de contradictions. Dans un contexte commercial, par exemple, lorsque les clients vous disent qu'ils vous aiment, c'est bien, non ? Et s'ils aiment vos produits mais ne les achètent jamais ? Ne préféreriez-vous pas qu'ils vous détestent mais qu'ils achètent vos produits tout le temps ? Le cerveau limbique se structure entre la naissance et l'âge de cinq ans, en grande partie par la relation de l'enfant avec sa mère. Nous recevons d'elle la chaleur, l'amour, et un fort sentiment d'attachement. Il est très rare d'avoir cette expérience avec un père. Grâce à cette relation, le système limbique possède un aspect féminin très prononcé. Lorsque l'on dit qu'un homme est « en contact avec son côté féminin », ce que nous disons en réalité c'est qu'il ne craint pas d'utiliser son cerveau limbique. La plupart des humains découvrent que dans le combat entre l'intelligence et l'émotion, le système limbique sort souvent vainqueur, parce qu'il y a beaucoup plus de chance que nous laissions notre cœur nous guider plutôt que la raison.

Le champion incontestable de ces « trois cerveaux » est le cerveau reptilien (le tronc cérébral et le cervelet). Le nom vient de la similitude de cette région de notre cerveau avec le cerveau des reptiles qui a relativement peu changé en deux cents millions d'années. Notre cerveau reptilien nous programme pour deux tâches majeures : la survie et la reproduction. Ce sont, bien sûr, nos instincts les plus fondamentaux : si nous ne pouvions pas nous reproduire et survivre, notre espèce disparaîtrait. Le cerveau reptilien est donc, de nos deux cerveaux, celui qui a l'influence la plus puissante. L'attraction physique, par exemple, possède une dimension reptilienne forte. Au niveau reptilien, on est attiré par quelqu'un dont les gènes donnent les meilleures chances de survie à notre progéniture. C'est pourquoi, comme j'en ai déjà parlé, il est probable qu'un Eskimo trouvera attirante une femme bien dodue et forte. À un niveau reptilien, il pense qu'elle a une meilleure chance de survivre aux durs hivers et aux conditions de vie brutales de l'Arctique. Si l'Eskimo en question combine ses gènes avec ceux de cette femme, ses enfants auront une meilleure chance de survie.

Parce que survivre est plus fondamental à notre existence que de se « sentir bien » ou de « faire sens », le cerveau reptilien l'emporte toujours. Dans une bataille entre la logique, l'émotion et l'instinct, c'est le cerveau reptilien qui gagne à tous les coups. Ceci est vrai lorsque l'on parle de guerre personnelle, de relations humaines, de décisions d'achat et même (comme nous le verrons plus tard dans ce livre), de choix de nos leaders.

Comme les individus, les cultures ont une dimension reptilienne très forte. On peut considérer la culture comme une trousse de survie léguée de génération en génération. La culture américaine a évolué comme elle l'a fait parce que les pionniers, et plus tard les vagues d'immigrants venus vers nos rivages, avaient besoin qu'elle évolue de cette manière pour qu'ils puissent survivre aux conditions de ce vaste pays. Des traits comme le puritanisme, une forte éthique du travail, la croyance que chacun mérite une seconde chance ; donner une prime au succès, nous ont aidés à survivre dans ce nouveau monde. La culture eskimo est différente de la culture américaine parce que les conditions de la survie sont différentes. La culture suisse a évolué comme elle l'a fait, forgeant des cultures multiples en une seule culture forte, en réponse aux menaces régulières à la survie de la Suisse en tant qu'État souverain. On peut retracer l'évolution particulière de chaque culture sur la terre en partant des besoins de survie de cette culture.

Ainsi, nous trouvons le Code pour les éléments d'une culture lorsque nous comprenons comment le cerveau reptilien répond à cet élément. Ce processus est particulièrement clair lorsque nous regardons le Code le plus essentiel pour notre survie – celui de la santé – et le Code pour la jeunesse.

## CE QUE J'AI APPRIS DES SORCIERS

Préserver la santé et aider les malades a toujours été une de mes passions. C'est mon côté « guérisseur », mon *anima* féminine. Parce que je voulais comprendre la santé d'autant de perspectives que possibles, j'ai passé deux ans, à la fin des années 1960, à étudier avec des médecins au Nicaragua. Ensuite, je suis allé en Bolivie et j'ai exploré la différence entre la magie blanche et la magie noire. Enfin, je suis resté plusieurs mois dans le Mato Grosso, une région riche de l'Amazonie, pour étudier avec un *curandero*, un sorcier-guérisseur.

Avant ce séjour, j'étais déjà conscient que la science avait des limites, que certaines choses se produisaient dans notre cerveau et notre corps que l'on ne pouvait expliquer par la science. Ces années en Amérique du Sud m'ont mené à un nouveau niveau de compréhension. Certains de ces sorciers étaient de grands psychologues. Par exemple, ils ne commençaient pas à soigner un patient à moins que celui-ci prouve qu'il souhaitait réellement guérir. Un sorcier médecin que j'ai étudié envoyait ses patients dans un voyage initiatique au cœur de la forêt afin de trouver des plantes spéciales et lutter contre des démons et des monstres imaginaires – tout cela pour prouver leur engagement à vaincre la maladie. Ce même sorcier médecin refusait de soigner un patient à moins que toute sa famille ne suive le même traitement et joue un rôle dans le voyage initiatique. Il y a une grande logique derrière ces actions. Il voulait être certain que le patient serait dans le meilleur état d'esprit possible pour aller mieux, qu'il pourrait vaincre la maladie, et que sa famille était derrière lui. Ceci peut sembler du bon sens médical, mais combien de médecins « traditionnels » préparent aussi complètement leurs patients avant de tenter de les guérir ?

Ce sorcier médecin avait trouvé un moyen de « détacher » ses patients de leur cortex. Il ne faisait pas appel à des textes médicaux ou n'envoyait pas ses patients vers Dr. Internet s'informer sur leur maladie. Au lieu de cela, il faisait appel à leur cerveau reptilien. Le sorcier médecin persuadait ses patients qu'il pouvait les aider à survivre – à condition que les patients le désirent suffisamment.

## JE PRENDRAI CETTE VIE À EMPORTER

Lorsque Procter & Gamble m'a engagé pour découvrir le Code de la santé et du bien-être en Amérique, j'ai considéré cela comme une opportunité formidable parce que la santé, évidemment, est un des principaux archétypes de la vie. Par conséquent, je m'attendais à découvrir un Code qui parle de l'essence même de ce que signifie être en vie dans cette culture.

Les Américains sont des gens d'action. Selon les mots de ce grand philosophe américain, Nike, on peut réduire le programme américain à trois mots simples : « *Just Do It* » (Lancez-vous !) Nos champions sont des athlètes, des entrepreneurs, des policiers, des pompiers, des soldats – rien que des gens d'action. Nous respectons peut-être les penseurs, mais nous ne les célébrons pas autant que nos hommes d'action. Ce n'est pas un hasard si, pendant des années, en haut des marches du musée d'art de Philadelphie – dépositaire des grandes œuvres de l'intellect et de l'imagination – se trouvait une statue en bronze d'un célèbre boxeur de cinéma. Peut-on imaginer un monument à Jackson Pollock devant Yankee Stadium ?

Cet encouragement à l'action à travers toute la culture influence la manière dont nous considérons notre santé. Peu estiment important de maintenir la forme physique des commandos de la marine ou bien d'un marathonien (vus les chiffres sur l'obésité, beaucoup d'entre nous ne semblent pas sentir le besoin de préserver leur forme physique), mais nous croyons que nous avons besoin de la santé afin de faire des choses.

Lors des dix séances de découverte que j'ai menées pendant cette étude, j'ai entendu différentes sortes de récits.

Certains parlaient de maladie :

> « Lorsque j'ai eu dix-huit ans, j'ai appris que ma grand-mère, qui m'avait élevée et qui s'était toujours occupée de tout le monde, était en train de mourir d'un cancer du poumon. Cela paraissait impossible. Elle avait quatre-vingts ans et marchait dans le quartier chaque jour – pour aller chez le médecin, chez l'épicier, partout où elle devait aller. C'était la femme la plus forte que j'aie jamais connue. Elle a vécu jusqu'à quatre-vingt-un ans et, sauf pour les deux dernières semaines, elle n'était dépendante de personne. » Une femme de quarante-six ans.

> « Lorsque j'ai eu huit ans, le docteur m'a dit que j'avais un manque de calcium dans la jambe gauche et que je ne devais mettre aucun poids dessus. Ma mère et mon père étaient obligés de me porter partout. Tous les mois, le docteur observait ma jambe avec un fluoroscope et ma mère regardait au-

dessus de son épaule pour voir comment allait ma jambe. Je détestais que ma mère doive me porter partout. » Un homme de soixante-cinq ans.

« Je me souviens lorsque j'étais malade et que j'avais cinq ans. Je devais rester au lit dans une chambre sombre. Les rideaux et les stores étaient fermés pour bloquer la lumière. Je devais reposer mes yeux, ce qui voulait dire pas de livres ni de télévision. Je m'ennuyais tellement ! Lorsque j'ai été déclarée guérie, c'était comme sortir de prison. J'avais tellement hâte de sortir. » Une femme d'une quarantaine d'années.

« Il y a quelques années, j'ai attrapé la goutte. Vous imaginez cela : quelqu'un censé être dans les meilleures années de sa vie, qui se maintenait en condition physique et qui faisait attention à ce qu'il mange, qui avait soudain la goutte. Le gros orteil de mon pied droit a commencé à enfler énormément et chaque pas était douloureux. Je boitais comme Walter Brennan et j'avais l'impression d'avoir cent ans. » Un homme de quarante-sept ans.

Il y avait ceux qui parlaient de guérison :

« Lorsque j'étais enfant, un accident avait laissé ma mère paralysée à partir de la taille. Les médecins lui avaient dit qu'elle ne remarcherait plus jamais. Elle a passé soixante et un jours à l'hôpital en essayant de s'habituer à sa paralysie et à apprendre à s'occuper de quatre enfants, tous âgés de moins de six ans. Lorsqu'elle est rentrée à la maison, elle était tout le temps déprimée, mais, un soir, ma grand-mère l'a emmenée à l'église et un prêcheur lui a dit que Dieu allait la guérir. Elle ne l'a pas cru, mais cette nuit-là, elle a remonté le chemin devant la maison sans aide. Les médecins n'arrivaient pas à le croire, mais elle marche toujours, vingt-quatre ans plus tard. » Une femme de trente-cinq ans.

« Ma mère va mieux dans sa bataille avec le cancer du sein. C'était dur de la voir déprimée, et d'avoir l'air plus âgé. Maintenant, elle est toujours en croisière ou bien en vacances. C'est super de la voir vivre à nouveau. » Une femme de vingt-neuf ans.

Il y avait ceux qui offraient leur définition personnelle du bien-être :

« Mon expérience la plus forte du bien-être s'est produite quelques semaines après mon diplôme de l'université. J'avais un travail qui m'attendait et, quelques semaines avant de commencer à travailler, je suis partie en voyage avec plusieurs amies d'université, dans une Coccinelle VW orange. Un jour, j'étais au volant et mes amies dormaient. J'étais perdue dans mes pensées, sur les routes de campagne. Soudain, j'ai eu un sentiment merveilleux après un virage : j'ai réalisé que toute ma vie était devant moi et que cela allait être fantastique. » Une femme de quarante-cinq ans.

« Mon souvenir le plus récent de bien-être remonte au jour où j'ai été engagé pour un nouveau travail. J'ai un sentiment de plénitude à être dans un poste où je me sens apprécié alors que ce n'était pas le cas dans d'autres entreprises. J'ai l'impression d'avoir un impact sur les autres. » Un homme de quarante-cinq ans.

> « J'avais environ onze ou douze ans lorsque j'ai commencé à ressentir un bien-être. Le divorce de mes parents était du passé. Ce fut dur, mais ma mère avait trouvé son indépendance et peut-être que cela me touchait aussi. C'était un jour de printemps et je faisais du patin à roulettes seule. L'air était doux et il sentait bon. À ce moment-là, j'ai ressenti le pouvoir de l'univers et mon propre pouvoir. » Une femme de quarante-six ans.

> « Une merveilleuse semaine à Rancho La Puerta, au Mexique. La première fois de ma vie que j'avais pris du temps pour moi. Pas de travail. Pas d'enfants. Pas de mari. Seulement de la méditation, du yoga, de la danse africaine, des marches au petit matin, un cours de danse et un massage chaque jour. » Une femme de quarante-deux ans.

Quel que soit le type de récit qu'un participant choisissait de me raconter, un thème fort émergeait. La santé et le bien-être étaient davantage que le simple fait de ne pas être malade. La santé ce n'était pas être suffisamment robuste pour profiter d'une journée de soleil ou passer un peu de temps avec son conjoint. La maladie n'est pas une histoire de toux, de rhume ou de douleurs. Ce que ces participants me dirent c'est qu'être malade signifiait que quelqu'un devait vous porter, que vous n'aviez pas le droit de jouer dehors, que vous boitiez et que vous ne pouviez aller jusqu'à l'épicerie. Guérir c'était marcher dans l'allée de la maison ou bien partir en voyage. Le bien-être était associé au fait de faire de long trajets en voiture, faire du patin, avoir un travail qui avait un impact sur les autres, ou bien de la danse africaine.

Pour les Américains, la santé et le bien-être signifient pouvoir accomplir sa mission. La mission peut aussi bien être de gérer une multinationale, préparer les enfants pour l'école, participer à la politique locale, escalader une montagne ou encore préparer un bon repas pour sa famille, mais cela implique de l'action. Le message dans ces récits est que les Américains croient que si vous pouvez agir alors vous êtes en bonne santé. Leur plus grande peur de la maladie est l'incapacité à faire des choses.

En Amérique, le Code pour la santé et le bien-être est : MOUVEMENT.

Si nous mettons ces nouvelles lunettes fournies par le Code, certains comportements dans notre culture ressortent. Pourquoi remplissons-nous notre temps libre ? Pourquoi les retraités commencent-ils une seconde carrière ? Pourquoi sommes-nous autant affectés lorsque, devenus âgés, nous perdons notre permis de conduire ou bien nous nous trouvons réduits au fauteuil roulant ?

La réponse est dans le Code. Nous pouvons avoir un travail stressant, une vie de famille prenante, un paquet d'obligations, mais pourtant nous nous mettons au golf, apprenons à tricoter, adhérons à un club de gym, ou encore lançons un club de lecture. Ces actes impliquent différentes formes de mouvement, et le mouvement nous fait sentir en bonne santé, il confirme que nous sommes en vie.

C'est pourquoi les retraités, après des carrières longues et intenses, se sentent perdus lorsqu'ils quittent leur emploi. C'est une réponse reptilienne. Ils peuvent accepter intellectuellement l'idée d'avoir travaillé assez longtemps et économisé suffisamment pour être à l'aise. Ils peuvent éprouver un sentiment de soulagement lorsqu'ils réalisent qu'ils n'ont plus besoin d'un réveil. Mais leur cerveau reptilien leur dit quelque chose d'autre : la vie s'est ralentie – et peut-être un peu trop. Beaucoup se retrouvent soudain avec moins de choses à faire – avec beaucoup moins de mouvement dans leur vie – et cette perspective est effrayante. Certains recherchent un réconfort et le mouvement dans des hobbies et des associations. Certains tombent dans l'hypocondrie et la dépression, estimant que le manque de mouvement dans leur vie suggère la dégradation de leur santé. D'autres choisissent le chemin le plus direct pour résoudre ce problème : ils prennent la retraite de leur retraite. Une seconde carrière leur redonne un sentiment de mouvement et par conséquent leur redonne le sentiment d'être en bonne santé.

Le Code explique également pourquoi la perte d'action nous est aussi dévastatrice. Les seniors se battent pour éviter la vie dans un fauteuil roulant, luttant souvent des années avec un déambulateur avant de céder. De la même manière, ils font tous les efforts possibles pour conserver leur permis de conduire, n'abandonnant que lorsqu'ils deviennent un danger pour eux-mêmes et pour les autres. Pourquoi ? Parce que cette réduction du mouvement lance un signal très fort sur notre santé, et ce changement permanent vers un état moins mobile suggère que la santé ne reviendra plus.

Dans d'autres cultures, le concept de santé a une dimension différente. Pour les Chinois, la santé signifie être en harmonie avec la nature. La médecine chinoise existe depuis cinq mille ans et a toujours pris en considération la place de l'être humain dans le monde naturel. Elle soigne en utilisant des plantes et des herbes, l'astrologie et même les phases de la lune. Les Chinois croient qu'ils vivent dans une communion permanente avec les éléments et que la santé est liée au fait d'être en paix avec la nature.

Les Japonais, par contre, voient la santé comme une obligation. Si vous êtes en bonne santé, vous êtes engagé à apporter votre contribution à votre culture, votre communauté et votre famille. Les Japonais sont obsessionnels en matière de santé et ils ressentent un très fort sentiment de culpabilité s'ils tombent malades. Contrairement à notre culture, dans laquelle les enfants feignent la fièvre pour ne pas aller en classe, les enfants japonais s'excuseront auprès de leurs parents d'être malades, parce qu'ils savent que la maladie peut leur faire prendre du retard. Dans cette culture, vous ne vous lavez pas les mains seulement pour être propre, mais également par sens du devoir en tant que serviteur de la culture, et afin d'éviter que quelqu'un tombe malade à cause de vous.

## DOCTEURS, INFIRMIÈRES ET LE HACHOIR À VIANDE

Le Code pour la santé jette une lumière intéressante sur des Codes proches. Médecins et infirmières sont chargés de nous maintenir en bonne santé. Étant donné la force de notre cerveau reptilien, il n'est pas étonnant que nous ayons des Codes très positifs pour les deux.

Les histoires racontées pendant nos séances d'exploration du Code pour les médecins donnaient des images de sauvetage, le souvenir d'avoir été sauvé d'un danger, d'avoir été épargné d'un sort horrible. La plupart des Américains avaient imprimé l'idée que les médecins sauvent des vies et ils se souviennent d'un jour où un docteur a tiré d'affaire un membre de la famille, ou même quand un médecin les a sauvés personnellement. En Amérique, le Code pour médecin est HÉROS.

Nos sentiments envers les infirmières sont encore plus positifs. Un récent sondage Gallup a identifié la profession d'infirmière comme la plus éthique et honnête, pour la cinquième fois en six ans (elle venait en deuxième position derrière pompier, en 2001, après le 11 septembre). Nous voyons les infirmières comme celles qui prennent soin de nous, comme les professionnelles qui passent plus de temps avec nous que les médecins lorsque nous sommes malades, et qui, toujours, ont notre intérêt à cœur. Les récits comportaient des phrases telles que « elles m'ont aidé à me sentir mieux », « elle est venue et s'est assise à côté de moi », et « je voulais la croire ». Avec les infirmières, les Américains se sentent en sécurité et aimés à un point tel qu'il n'y a qu'une seule autre relation qui lui soit comparable. En Amérique, Code pour infirmière est MÈRE.

Nous considérons les médecins comme des héros et les infirmières comme des mères. Nous devrions donc avoir une impression positive de chaque composante de la médecine. En fait, non. Le Code pour hôpital est nettement différent (et sombre). Peu d'endroits déclenchent des sentiments plus reptiliens que l'hôpital. Nous y sommes nés, nous y mourrons, et notre futur dépend des tests et des opérations qui s'y tiennent. Les hôpitaux soulèvent un sombre pressentiment avec leurs salles d'attente et leurs chambres remplies d'équipements qui font peur, avec leur environnement stérile et impersonnel, et leur atmosphère aux odeurs antiseptiques et artificielles. Les participants aux séances exploratoires racontèrent des histoires dignes d'Edgar Poe. Des mots comme « examen », « impersonnel », sont revenus régulièrement, et nous avons même trouvé des phrases comme « être transporté d'urgence en salle d'opération pour y mourir », et « quelques cadavres sur lesquels ils faisaient des expériences ». Le lien inconscient que nous faisons avec les hôpitaux est que lorsque nous y sommes, nous ne sommes plus des gens mais plutôt des produits. Le Code de hôpital, en Amérique, est USINE.

Le Code de hôpital semble choquant à la lumière du Code pour les médecins et infirmières, mais pas lorsque l'on se souvient que le Code pour la santé est « mouvement ». L'hôpital limite nos mouvements. Nous devons rester au lit. Nous sommes attachés à des tuyaux et à des machines qui nous empêchent de nous déplacer. Lorsque nous avons le droit de marcher, nous devons le faire lentement, attaché à une intraveineuse. Et si nous avons la chance d'en sortir, ils ne nous laissent même pas partir par nos propres moyens : ils insistent pour que nous soyons amenés sur un fauteuil roulant jusqu'au bord du trottoir.

Le mouvement est la clé de nos comportements vis-à-vis de tout cet univers. Les médecins et les infirmières nous rendent à nouveau mobiles et nous les aimons pour cela. Les hôpitaux nous immobilisent et nous avons des pensées très sombres à leur égard.

## TOUJOURS BOUGER

D'un point de vue commercial, les nouvelles lunettes fournies par le Code offrent une intuition essentielle à toute entreprise dans le domaine de la santé ou d'un mode de vie sain. Positionner un produit dans ce secteur en mettant en avant qu'il favorise le mouvement, la mobilité ou l'action est totalement dans le Code. L'assurance auto GMAC est un bon exemple. Lorsque l'on appelle GMAC après un accident, la première question de son représentant est : « Pouvez-vous bouger ? » C'est reconnaître le lien inconscient entre mouvement et santé, et si celui qui appelle peut bouger, cela le rassure, il n'est sans doute pas trop gravement blessé. Les deux autres questions de GMAC – ce qui est intéressant – concernent les autres parties du cerveau. La première est : « Comment vous sentez-vous ? » La suivante : « Pouvez-vous me donner les détails de l'accident ? » Les questions suivent une hiérarchie, du reptilien au limbique jusqu'au cortex.

Tout produit qui suggère des restrictions dans le mouvement est hors Code. Une chaîne nationale a récemment lancé une campagne publicitaire qui utilise le slogan « Retenez-vous ». J'ai grincé des dents. Alors que leurs magasins vendent des produits que tous les foyers pourraient utiliser, leur message était complètement faux pour l'inconscient américain. Nous ne voulons jamais être limités. Nous souhaitons certainement que notre fouillis soit limité, que nos vieux « trucs », nos vêtements qui ne sont pas de saison soient en nombre limité, mais nous limiter nous-mêmes n'a aucun attrait pour nous.

LA JEUNESSE DE L'AMÉRIQUE EST SA TRADITION LA PLUS ANCIENNE. CELA DURE MAINTENANT DEPUIS TROIS CENTS ANS. OSCAR WILDE

Le Code pour santé en Amérique envoie un message très optimiste sur la manière dont nous percevons le futur. Nous croyons que si nous menons des vies actives, engagées, nous restons en bonne santé. Tant que nous avons quelque chose à faire, nous restons forts. Mais, les séances exploratoires sur la jeunesse en Amérique ont révélé un message plus sombre, un message né de la collision entre nos instincts reptiliens et notre adolescence culturelle, qui conduit parfois les adultes à jouer un jeu malsain.

Notre cerveau reptilien nous programme pour survivre. Dans toutes les cultures, les gens souhaitent survivre. Mais dans la culture américaine, non seulement nous voulons survivre, mais nous voulons aussi rester au maximum de nos forces. En Amérique, il ne suffit pas d'être actif même lorsqu'on est vieux. Nous aspirons également à conserver l'illusion d'invincibilité que possède tout adolescent. Les Américains sont fascinés par la jeunesse et l'illusion de pouvoir rester jeune pour toujours. Le magazine *Time* a consacré sa couverture et une partie importante de son numéro du 17 octobre 2005 au sujet du bien vieillir et rester jeune. Bob Dylan nous parle de son souhait que nous restions « Toujours Jeunes » (dans sa chanson *Forever Young*), tandis que Frank Sinatra nous raconte que « des contes de fée peuvent devenir vrais, ils peuvent vous arriver, si vous êtes jeunes de cœur ». Un film qui a connu un immense succès, *Cocoon*, fantasme sur une force étrangère qui peut rajeunir les vieux, et *L'Âge de cristal* imagine un monde utopique dans lequel on n'est pas autorisé à vivre au-delà de l'âge de trente ans.

Comme nous l'avons vu dans le chapitre 2, les Américains sont d'éternels adolescents. Nous regardons l'Europe comme le vieux monde, et l'Amérique comme le nouveau. Pourtant, par bien des aspects, l'Amérique est l'une des plus anciennes nations du monde. La Révolution française a commencé en 1789, plus d'une décennie après notre propre révolution. L'Italie est devenue un État-nation en 1861. L'empire germanique fut fondé en 1871. Notre culture n'est pas aussi ancienne que les cultures française, italienne et allemande (toutes ont vu le jour bien avant les États français, italien et allemand), mais nous existons dans notre forme actuelle depuis plus longtemps. Nous avons la plus ancienne constitution écrite de la planète.

Alors, pourquoi sommes-nous aussi fascinés par la jeunesse ? Sans doute parce que nous sommes une culture peuplée d'immigrants. Les immigrants arrivent ici et abandonnent leur passé derrière eux. Ils recommencent à zéro en Amérique. Ils renaissent ici, souvent avec de nouvelles carrières et de nouveaux rêves. Comme nous continuons à accueillir des immigrants en grand nombre, ce sentiment de renouveau et de réinvention vit dans notre culture. Nous restons jeunes grâce à cela. En plus, parce que nous sommes une culture adolescente, nous avons tendance à penser comme des adolescents, même quand nous avons plus de soixante ans. Nous ne voulons pas grandir. Nous ne voulons pas nous installer dans l'âge adulte. Nous considérons les appareils électroniques et les voitures comme des « jouets » et nous prenons un café avec nos « copines », même si ces « copines » sont grands-mères.

Comme en Amérique la jeunesse est autant un état d'esprit qu'un âge, les séances pour découvrir le Code pour la jeunesse inclurent des gens de tous âges. Pourtant, malgré la diversité des groupes, les récits de la troisième heure eurent des structures très similaires.

> « À mon poste, rester jeune est essentiel. Mon patron a seulement vingt-neuf ans. Il utilise constamment des métaphores sportives et parle de nos concurrents comme des “vieilles barbes”. Il y a quelques mois, je me suis inscrit à une salle de sport

pour la première fois depuis dix ans afin de perdre quelques kilos et ciseler quelques muscles. J'y vais une heure et demie quatre fois par semaine. J'ai l'impression de m'entraîner pour un marathon, mais si je veux rester dans le jeu, je dois avoir le look. » Un homme de quarante-quatre ans.

« En revenant, avec mon mari, de mon dîner d'anniversaire, j'ai vu mes premiers cheveux gris. En une semaine, j'en ai découvert des dizaines. Puis des rides qui n'étaient pas là avant. Je me disais toujours que je conserverais un look “naturel” – aussi peu de maquillage que possible, pas de teinture des cheveux. Mais je ne pouvais pas tenir ce souhait. L'idée de me voir vieillir dans le miroir m'a fichu la trouille. J'ai acheté du Clairol et je me suis fait maquiller chez Macy's. C'est peut-être faux, mais je me sens mieux. » Une femme de trente-deux ans.

« Mon adolescent de petit-fils adore le fait que j'aie joué de la batterie dans des groupes rock dans les années 1950 et au début des années 1960. Mon fils n'a jamais pensé que c'était très intéressant, mais son fils veut lui aussi être batteur et il me pose un tas de questions. J'ai commencé à écouter la musique de Greg et j'ai découvert que je l'aimais. Je l'écoute même dans la voiture et je me suis surpris à battre la mesure sur le volant. Je me suis toujours senti jeune avec le rock and roll et cette nouvelle musique me donne à nouveau ce sentiment. » Un homme de soixante ans.

« J'ai eu mon premier enfant lorsque j'avais à peine vingt ans. Quand ma fille était adolescente, cela m'amusait que les gens parlent de nous comme de sœurs. J'étais une mère cool et je faisais des efforts pour rester au courant de ce qui intéressait ma fille et des tendances les plus branchées. L'année dernière, ma fille a eu un bébé et les gens ont commencé à m'appeler grand-maman. Je suis tellement *pas* grand-maman ! J'adore ce petit garçon et je ferais tout pour lui, mais les grands-mères sont grises, elles ont le souffle court et elles sont trop grosses. J'ai récemment dit à mon mari que je pensais demander à mon petit-fils de m'appeler Joan plutôt que Grand-Maman. Il s'est moqué de moi, mais je le ferai peut-être quand même. » Une femme de quarante-neuf ans.

« Pendant des années, les gens sous-estimaient grandement mon âge. Les gens du management parlaient de moi comme "le gamin" alors que j'avais presque quarante ans. Il y a deux ans, j'ai eu des ennuis de santé et je me suis retrouvé à l'hôpital pendant un mois. Lorsque j'en suis sorti, je ne me déplaçais plus aussi vite qu'avant et avec le poids que j'avais perdu, j'avais l'air efflanqué et plus âgé. Je ne sais pas si c'est seulement mon imagination, mais soudain les gens dans le bureau ont commencé à m'appeler "Monsieur". Dès que le docteur m'en a donné la permission, je me suis lancé à fond dans un programme pour me remettre en forme. Les gens ne m'appellent plus "gamin", mais ils le feront à nouveau un jour. » Un homme de quarante-sept ans.

« L'image que j'ai toujours eue de moi est celle du jour de mon mariage. J'avais une peau de porcelaine, des yeux immenses, et des cheveux blonds brillants. Les gens ont été surpris lorsque je suis rentrée à l'église. J'étais l'image parfaite de la jeune mariée. J'ai toujours pensé que je ressemblais à cela, même plusieurs décennies plus tard. Il y a deux ans, mon mari est mort. Lorsque je suis rentrée à la maison après l'enterrement, je me suis regardée dans le miroir et j'ai vu une femme grise habillée en noir. Je n'arrivais pas à comprendre d'où sortait cette vieille femme dans le miroir. J'évite désormais de me regarder dans les miroirs. » Une femme de soixante-trois ans.

« J'adore être jeune. Comment faire autrement ? Vous pouvez accomplir tout ce que vous voulez, tout votre avenir est devant vous, les types vous regardent et apprécient ce qu'ils voient. J'ai l'intention de rester jeune très longtemps et je mettrai tout en œuvre pour cela. J'ai lu un article qui racontait qu'un jour les chercheurs auront un vaccin pour arrêter de vieillir. Je serai la première sur la liste pour me faire vacciner. » Une femme de vingt ans.

Dans ces récits et des centaines d'autres semblables, les gens parlent de la jeunesse comme de quelque chose de tangible, qui peut être conservé ou capturé : « Je dois avoir ce look. » « C'est peut-être faux, mais je me sens mieux. » « Les gens ne m'appellent plus “gamin”, mais ils le feront à nouveau un jour. » « Je serai la première sur la liste pour me faire vacciner. » Ils pensent qu'ils peuvent créer l'illusion de la jeunesse s'ils écoutent de la musique jeune, se maquillent, se teignent les cheveux ou bien continuent de se penser à un certain âge plutôt que de se regarder dans un miroir. Pour les Américains, la jeunesse n'est pas une étape de la vie, mais quelque chose derrière laquelle il est possible de se cacher, que l'on peut porter plutôt que son âge véritable.

Le Code américain pour jeunesse est MASQUE.

Il existe des évidences du lien jeunesse-masque partout dans notre culture. La chirurgie plastique retend littéralement notre visage sur nos crânes, comme si nous mettions un masque de plastique. Le Botox gèle nos muscles faciaux dans une attitude de masque. Vous pouvez même acheter des « masques anti-âge » pour effacer les rides et améliorer votre peau. Comme notre idée de la jeunesse physique est souvent liée au visage et à la tête (la peau et les cheveux), on pourrait dire que toute tentative pour avoir l'air plus jeune est une autre version du masque.

Comme un masque de costume crée une illusion, dans notre culture, le masque de jeunesse fait la même chose. Barbara Walters s'approche de ses quatre-vingts ans, mais elle conserve l'aspect de quelqu'un de plusieurs décennies plus jeune. Joan Rivers a-t-elle soixante-dix ans ? cinquante ? cent ? Difficile à dire à travers le masque. Lorsque l'on affirme que Paul Newman est encore superbe à quatre-vingts ans, ce que l'on veut dire c'est qu'il a fait un excellent travail pour masquer son âge. Nous ne pensons pas qu'il a l'air superbe parce qu'il porte ses quatre-vingts ans mais qu'il est superbe parce qu'il a l'air considérablement plus jeune.

Beaucoup d'autres cultures ne sont pas aussi fascinées que nous par la jeunesse. Les Hindous pensent qu'il existe quatre étapes dans une vie. La jeunesse est la première et la moins intéressante, quelque chose qu'il faut franchir rapidement pour acquérir les outils nécessaires pour vivre dans ce monde. L'étape suivante est la maturité, pendant laquelle vous avez des enfants, gagnez de l'argent, réussissez. La troisième étape est le détachement. Là, vous prenez du recul par rapport au monde et à « la course du rat », préférant lire et découvrir la philosophie. Dans la quatrième étape, vous devenez l'équivalent d'un ermite. On rencontre souvent des vieux Indiens parcourant les rues, couverts de cendres, qui ont l'air d'être déjà passés dans l'autre vie. Dans la culture hindoue, une personne passe d'une étape à l'autre, avec la mort comme destination finale. Les Hindous n'ont pas peur de la mort et l'idée de lutter contre l'âge leur paraît ridicule.

Les Anglais trouvent la jeunesse ennuyeuse. Les jeunes manquent d'expérience et sont facilement sujets aux erreurs. Les Anglais considèrent les jeunes comme des enfants qu'il faut tolérer. Quand les Américains glorifient la vitalité de la jeunesse, les Anglais célèbrent ces mêmes qualités chez leurs excentriques. Une des tensions-clés en Angleterre est entre le détachement et l'excentricité. Tandis que la culture pratique le détachement, elle célèbre l'autre côté de l'axe. Comment expliquer autrement l'ennoblissement d'un homme qui est venu à son travail en costume de canard (Sir Elton John) ou bien d'un autre qui a lancé une nouvelle gamme de produit en se rasant le crâne et en s'habillant en travesti (Sir Richard Branson) ?

DRAPONS-NOUS DANS LA JEUNESSE

Les marques sont dans le Code lorsqu'elles présentent un produit qui peut donner au consommateur un « masque » de jeunesse. Just For Men positionne ses produits colorants pour cheveux comme « ciblant » spécifiquement les cheveux gris et ils les masquent avec des teintes approchant la couleur naturelle des cheveux. La publicité de la marque est totalement dans le Code. Elle montre un homme camouflant ses cheveux gris en seulement cinq minutes et qui mène une vie pleine et énergique.

Avec les hommes, les cheveux sont la clé de la jeunesse. Parfois cela signifie enlever les cheveux gris. D'autres fois, cela signifie faire repousser des cheveux qui ont été perdus. Bien que des chauves, de Yul Brynner à Michael Jordan, aient été des sex symboles, les hommes qui perdent leurs cheveux sont rarement mis en vedette. Rogain a fait un excellent travail de marketing en affirmant que ses produits peuvent masquer la calvitie en nous permettant de faire repousser les cheveux et donc d'apparaître plus jeune.

Les cheveux font également partie du masque de jeunesse pour les femmes, bien sûr, et Pantene vend ses shampooings et ses produits capillaires tout à fait dans le Code. Les publicités pour Pantene se concentrent non pas sur la propreté, le corps du cheveu ou son brillant, mais au contraire sur sa santé – en gros, elles disent aux consommateurs que les produits Pantene gardent leur jeunesse aux cheveux. Les publicités parlent de renforcer et nourrir les cheveux, de les traiter comme un petit enfant qui a besoin de nourriture pour grandir. Des publicités récentes s'inspirent même du Code pour la santé en informant que les produits Pantene donnent aux cheveux du « swing ». Pour une femme adulte qui veut des cheveux jeunes, c'est un message puissant.

Une autre façon efficace de vendre un « masque » de jeunesse est de vendre un produit comme jeune même si votre cœur de cible est différent. Mazda a lancé la Miata comme un modèle sportif d'entrée de gamme pour les jeunes. La marque continue de positionner sa voiture de cette façon plus d'une décennie plus tard (son site Web inclut un jeu vidéo Miata), bien que les plus de cinquante-cinq ans constituent le groupe de propriétaires le plus important. Suivre cette stratégie est dans le Code et s'est montré très efficace pour Mazda. L'entreprise séduit ses acheteurs les plus actifs en suggérant que la Miata offre un masque de jeunesse.

Le mime Marcel Marceau fait un numéro très amusant dans lequel il mime qu'il met un masque souriant. Au milieu de son numéro, il essaie d'enlever le masque et s'aperçoit qu'il est coincé. Alors qu'il lutte et se contorsionne pour se libérer du masque, le sourire reste figé sur le visage. À la fin, il s'affale, vaincu, mais son sourire synthétique est toujours là. Par bien des aspects, notre obsession de la jeunesse est comme ce masque. Les traitements artificiels tels que la chirurgie plastique, le Botox et les implants capillaires nous donnent l'éclat de la jeunesse, mais il faut payer un prix élevé, et cela s'accompagne souvent de douleur et d'inconfort. Les voitures

BCBG et les vêtements jeunes sont excitants et merveilleux si nous sommes en accord avec eux, mais ils peuvent nous faire passer pour des tricheurs si nous les utilisons uniquement pour donner l'illusion de la jeunesse. Comprendre le Code nous permet de prendre un peu de recul et de répondre à quelques questions importantes. Suis-je prêt à traverser la vie avec un masque ? Que se passerait-il si je l'enlevais ? Suis-je en train de passer à côté de quelque chose en m'accrochant à la jeunesse au lieu d'explorer la maturité ? Puisque l'Amérique est une culture de la jeunesse, les réponses à ces questions sont prévisibles. Les nouvelles lunettes du Code nous permettent de voir dans le miroir un reflet différent, mais juste pendant un instant.

## APRÈS DEUX CENTS MILLIONS D'ANNÉES, JE SAIS UNE CHOSE OU DEUX

Les Codes pour la santé et la jeunesse sont des exemples forts de notre cerveau reptilien à l'œuvre. Ces Codes se manifestent de cette manière dans notre culture parce que nous les voyons à travers le prisme de nos kits de survie particuliers (nous en discuterons plus à fond lorsque nous parlerons de nos schémas biologiques et nos schémas culturels, dans le chapitre suivant). Étant donné le besoin de nos ancêtres de bâtir un pays entier, nous ne voyons pas la santé comme simplement la libération des maladies mais plutôt comme la capacité à accomplir des choses – à bouger – et à continuer à apporter une contribution à la société tard dans notre vie. Comme notre culture adolescente n'a pas de révérence pour les personnes âgées, nous sentons le besoin de masquer notre vieillissement en créant l'illusion d'être jeunes pour toujours.

Notre cortex peut nous dire que l'âge apporte la sagesse. Notre système limbique peut nous suggérer que la santé est seulement une question d'avoir une attitude positive et de se sentir bien.

Mais lorsque notre cerveau reptilien parle, nous n'avons d'autre choix que de l'écouter.

5.

# AU-DELÀ DU SCHÉMA BIOLOGIQUE

## Les Codes pour la maison et le dîner

Comme je l'ai mentionné plus haut, chaque espèce se distingue par la structure de son ADN. J'appelle cela le schéma biologique. En plus, chaque culture possède un schéma culturel qui est une extension de son schéma biologique. Le schéma biologique identifie un besoin, et le schéma culturel l'interprète à l'intérieur des paramètres d'une culture particulière. « Isomorphisme », un terme emprunté à la biologie, à la chimie et aux mathématiques, désigne généralement le continuum entre le schéma biologique et le schéma culturel.

Par exemple, notre schéma biologique décide que notre confort physique est à son maximum à certaines températures. Si l'air est trop chaud, nous devenons léthargiques. S'il est trop froid, nous courons le risque d'attraper des maladies et, à l'extrême, de mourir. Pour régler la question de la chaleur, nous avons créé l'air conditionné. Mais chaque culture considère différemment l'utilisation de l'air conditionné, selon son schéma culturel. Pour les Américains, l'air conditionné est une nécessité (pratiquement toutes les voitures en Amérique sont équipées d'un système d'air conditionné) alors que les Européens le considèrent encore comme un luxe (au Royaume-Uni, l'air conditionné n'est même pas standard dans les Rolls Royce). Je me souviens être allé dans un hôtel quatre étoiles en Allemagne, il y a quelques années. Ma chambre était très chaude. Lorsque j'ai demandé au concierge de régler ce problème, il m'a dit que l'hôtel n'avait pas l'air conditionné parce qu'il ne faisait aussi chaud qu'un seul mois par an. De leur point de vue c'était sans doute normal, mais, habitué à l'Amérique, je trouvais cela inconfortable. Cela eut un impact négatif sur mon séjour. Même dans un motel bon marché aux États-Unis la chambre aurait été à une température plus agréable. La politique de l'hôtel allemand était adaptée au schéma biologique humain, mais pas à mon schéma culturel américain.

D'un autre côté, j'entends régulièrement les Européens se plaindre que les boutiques américaines sont trop froides en été. Là encore, le conflit vient du schéma culturel. Les Américains aiment être au frais, même de manière extrême. Une étude démontre qu'en Amérique, les boutiques les plus froides ont tendance à être les plus chères. Puisque l'air conditionné est une nécessité, nous avons besoin d'air conditionné extrême pour suggérer le luxe.

Les schémas biologiques sont spécifiques à chaque espèce et ne sont pas négociables. Nous respirons avec notre bouche, notre nez et nos poumons et non avec des ouïes. Ces schémas biologiques organisent la manière dont un Code culturel est créé et dont il évolue. Ils définissent les paramètres à l'intérieur desquels une culture peut survivre. Une culture qui passe une partie de son temps sous l'eau peut fonctionner. Une culture qui y passe tout son temps, ne le peut pas. Tant qu'une culture reconnaît les limites de la biologie, elle est libre de naviguer à l'intérieur de ses paramètres. Nous avons tous besoin de manger, mais la culture américaine a créé le *fast-food* alors que les Français ont créé le *slow food.* Chaque espèce a besoin de se reproduire, mais certaines cultures adoptent la polygamie (un homme avec plusieurs femmes), tandis que d'autres préfèrent la polyandrie (une femme avec plusieurs hommes). Ce sont des réponses culturelles aux mêmes schémas biologiques.

Le besoin d'abri pour se protéger des éléments est un schéma biologique. L'utérus est notre première maison. Après cela, chaque culture entre en action, s'adaptant à son environnement naturel (igloo pour les Eskimos, tentes pour les tribus nomades, etc.). Une fois que ce besoin biologique est satisfait, le schéma culturel évolue au sein d'une culture. En observant les Codes américains pour la maison et le dîner, nous pouvons observer vers quoi notre culture a tiré cette évolution – comment la maison est devenue le foyer.

## AUCUN ENDROIT NE VAUT LE FOYER [1]

Les Américains répondent au schéma biologique lorsqu'ils construisent leur maison : le toit et les murs isolants nous protègent du temps et des températures extrêmes, les systèmes HVAC nous maintiennent au frais et au chaud, les cuisines nous permettent de nous nourrir, et les toilettes nous fournissent un endroit pour nous soulager. Mais nous allons bien au-delà du schéma biologique lorsque notre maison devient notre *home*.

Le *home* (foyer) est un archétype extrêmement fort dans la culture américaine. Un de nos rituels les plus sacrés et typiquement américains – le dîner de Thanksgiving – tourne autour du retour au foyer. Le plus souvent, le dîner a lieu dans la résidence de la matriarche de la famille. Même si elle a déménagé au fil des années, et même si vous-même n'avez jamais vécu dans cette maison, c'est notre *home*. Quand nous nous rassemblons pour le dîner de Thanksgiving, nous rétablissons le lien avec notre *home* et nous réaffirmons l'importance du foyer dans notre vie.

Lorsque les troupes partent à la guerre, nous leur apportons soutien et encouragement, mais dès le

---

1. La langue anglaise fait une distinction entre deux mots qui, en français, ont le même sens : *house* et *home*. Le premier désigne le lieu, la maison au sens strict et architectural du terme. C'est le lieu où l'on vit. *Home* désigne plutôt le lieu psychologique dont on vient. C'est aussi bien la famille que le pays. C'est l'endroit où l'on a ses racines. Dans ce chapitre, pour plus de précision, lorsque nous le pourrons, nous conserverons les deux mots en anglais. À défaut, nous traduirons *home* par foyer. *(N.d.T.)*

début des hostilités, notre but est de « ramener nos gars à la maison » (*bring our boys home*). Certaines de nos images les plus fortes et les plus durables sont celles de soldats rentrant au pays, dans les bras de ceux qu'ils aiment. Et même (cela a été renforcé par la récente guerre en Irak), nous avons le sentiment que, quel que soit ce qui est accompli, une guerre n'est pas véritablement gagnée tant que nos soldats ne sont pas rentrés à la maison.

Cette notion apparaît même dans notre passe-temps national, le baseball. Ce n'est pas une coïncidence si ce sport comporte trois bases et un *home plate*. Le *home* est pour nous une image forte et très présente, et le baseball illustre cela de manière éloquente : la seule façon de marquer des points est de rentrer « à la maison ». Un coup gagnant s'appelle un *home run*.

L'image pieuse de la maison imprègne la culture populaire américaine, des publicités pour le café Folger's aux cartes de vœux Hallmark et jusqu'aux chansons qui nous promettent de retrouver celle que l'on aime. Aucun élément de la culture populaire ne capture sans doute mieux l'écho de cette image sainte que le film de Ron Howard, *Apollo 13*. S'il s'agissait d'un film sur n'importe quelle autre mission (et en plus qui avait échoué dans tous ses objectifs), le public aurait bâillé d'ennui. Nous sommes depuis longtemps indifférents au programme spatial et aux projets de retour sur la Lune, de vie en orbite, d'envoi des navettes vers la station spatiale. *Apollo 13* fut un énorme succès parce que le film parlait de tout autre chose, quelque chose qui nous est bien plus proche : ramener des gens à la maison (*home*).

Il existe des raisons évidentes pour lesquelles la maison a tant d'importance pour les Américains. Ce pays a été fondé par un groupe de gens venus ici pour créer un nouveau foyer. Lorsqu'ils sont arrivés, il n'y avait ni maisons, ni routes. Pour la plupart, il n'y avait pas de retour possible. Pour des raisons politiques, financières, logistiques, il n'était pas question de repartir d'où ils venaient. C'était encore plus vrai pour les vagues d'immigrants qui les ont suivis, qui avaient tout abandonné pour la chance de commencer une autre vie dans le Nouveau Monde. Ces gens ont tourné le dos à tout ce qui leur était familier et ils sont venus en Amérique à la recherche d'un foyer. En faisant cela, ils ont donné un sens au mot *home* non seulement pour eux mais aussi pour toute la culture qu'ils contribuèrent à créer.

Les Américains ont un sens du foyer plus développé que n'importe quelle autre culture sur la planète. Pour nous, la maison n'est pas seulement l'édifice dans lequel on a grandi, ni celui où nous vivons avec notre famille, mais le pays tout entier. Aucune force d'invasion n'a jamais envahi notre pays. Dans toute notre histoire nous n'avons jamais perdu notre toit (à la différence de la plupart des autres pays autour du monde, qui ont été, à certains moments, occupés ou annexés). Les Français ne partagent pas cette idée du foyer. Après de multiples invasions, ils ont une conception de la terre patrie nettement moins intense que les Américains. (C'est la raison pour laquelle les citoyens des autres pays sont à la fois fascinés et repoussés par le nationalisme très fort des Américains.) De nombreux pays ont été constitués à partir de cultures diverses après une guerre (l'Irak après la Première Guerre, par exemple) ou, comme l'Inde, ont obtenu l'indépendance après de longues années de régime colonial. Ces pays n'ont pas le même attachement que nous à l'idée du pays comme foyer.

Quelle autoroute mentale traversons-nous lorsque nous pensons à la maison ? Quel signal inconscient recevons-nous ? J'ai exploré le Code de la maison pour la Homeowners Insurance Company, mais j'ai également eu beaucoup d'intuitions en étudiant d'autres objets, comme les boîtes en carton (pour Inland Container) et le café (pour Folger's).

> « Mon premier souvenir de la maison c'est ma mère qui vient me chercher à l'arrêt du bus après ma première journée d'école. J'étais très inquiète d'aller au jardin d'enfant, et, bien que cette première journée se soit passée mieux que je l'espérais, j'étais heureuse de la voir qui m'attendait lorsque je suis rentrée. Nous sommes allées à la maison, nous avons pris le goûter ensemble, et nous avons parlé de la journée. Nous avons fait cela tous les jours, jusqu'à ce que je rentre au lycée. » Une femme de vingt-quatre ans.

> « Lorsque je suis rentré de mon premier semestre à l'université, pour les vacances de Noël, j'ai fait une grande fête pour tous mes amis, à la maison. Je ne crois pas que j'ai réalisé à quel point ces gens m'ont manqué jusqu'à ce que je les revoie. Certains

sont restés jusqu'à 4 heures du matin, simplement à reprendre contact. » Un homme de trente-six ans.

« On avait ce truc à la maison tous les dimanches soir. Avant de manger, nous nous racontions nos bons et nos mauvais moments de la semaine. Parfois, certaines des choses dont on parlait étaient bêtes, mais souvent nous abordions des sujets vraiment importants. J'essayais toujours d'être à la maison pour le dîner le dimanche, parce que j'aimais beaucoup cette occasion d'avoir l'avis des autres membres de la famille. » Une femme de trente-deux ans.

« C'est drôle, mais lorsque vous m'avez demandé de réfléchir à la maison, j'ai pensé à mes parents et grands-parents dans les tribunes, qui regardaient mes matches de baseball lorsque j'étais minime. Je me sentais à la maison, même si je ne l'étais pas, rien que de savoir qu'ils étaient là pour me soutenir. » Un homme de vingt-six ans.

« La vie était toujours un peu disjointe quand j'ai grandi. Mon père vivait à Cleveland et on ne le voyait que pendant l'été. Ma mère travaillait tard et ne pouvait pas passer beaucoup de temps avec nous. Maintenant que je suis mariée et heureuse et que j'ai ma propre famille, la maison a un tout autre sens pour moi. Nous avons tous ces petits rituels liés aux vacances et aux anniversaires et même au lancement de la saison de football. On dirait qu'on trouve plein de raisons de célébrer le fait d'être ensemble. » Une femme de quarante ans.

« Mon père est mort il y a cinq ans. La famille était tellement importante pour lui, il m'a donné une conception très forte du foyer. Il était mon roc et il me manque terriblement. Encore aujourd'hui, quand quelque chose m'embête ou même lorsque j'ai une bonne nouvelle, je parle à sa photo posée sur le comptoir de ma cuisine (oui, je sais, c'est un peu bizarre) et j'ai l'impression qu'il est encore avec moi. » Une femme d'une soixantaine d'années.

Le langage de ces récits révèle des émotions très fortes, exactement ce que l'on pouvait attendre étant donné le sujet. Ces émotions incorporaient le mouvement, une insistance surprenante sur la répétition. Revenir de l'école et partager un goûter chaque jour. Revenir de l'université et retrouver les vieux amis avec lesquels vous passiez tant de temps. Vous asseoir chaque semaine à dîner pour partager des histoires. Voir votre famille lors de chaque match. Partager des rituels. Rechercher les conseils et le réconfort d'un membre de la famille qui est mort. Beaucoup de mots pourraient décrire le message déclenché par le mot foyer, mais un seul préfixe.

En Amérique, le Code pour maison est le préfixe « RE- ».

Lorsque nous pensons à la maison, nous pensons à des mots qui commencent avec le préfixe « re ». Des mots comme revenir (comme la petite fille lorsqu'elle revenait à la maison après l'école), réunir (comme le jeune homme lorsqu'il est revenu de l'université), reconnecter (comme cette famille lorsqu'ils se racontaient leurs bons et leurs mauvais moments de la semaine, ou comme cette femme lorsqu'elle parlait à la photo de son père), reconfirmer (comme le garçon lorsqu'il voyait sa famille dans les tribunes, lors des matches de football), et renouveler (comme la femme lors des rituels familiaux). Ceci nous envoie un message très fort sur ce que signifie être à la maison. Le foyer est l'endroit où il est possible de répéter les choses et de savoir ce qui va se passer, à la différence du monde extérieur, où tout peut être imprévisible. La maison est le lieu où refaire les choses leur donne encore plus de sens. C'est pour cela que revenir à la maison a une dimension tellement forte dans cette culture et pourquoi nous avons une réaction émotionnelle si forte lorsque nous parlons de ramener nos *boys* à la maison ou nos astronautes en danger. Nous voulons qu'ils reprennent le cours de leur existence entourés des gens qui leur sont les plus chers.

Foyer a un tout autre sens dans différentes cultures. Parce que l'espace est cher, pour les Japonais chaque centimètre carré de leur maison est précieux. Les Japonais ôtent leurs chaussures avant de pénétrer dans leur maison afin d'éviter de souiller leur espace chéri avec de la saleté venant de l'extérieur. Chaque pièce a plusieurs fonctions (la salle de séjour devient la chambre lorsque les futons – inventés par les Japonais – sont transformés en matelas) et peu de gens au Japon ont une chambre à eux. Fait intéressant, il n'y a pas de mot pour « intimité », en japonais. Lorsque l'on vit dans aussi peu d'espace, le concept va sans dire.

Les tribus nomades se déplacent sans cesse. Malgré cela, elles ont un sens très fort du foyer, bien qu'il ne soit pas lié à un lieu spécifique. Elles ont des tentes faites en poils de chameau qui sont incroyablement belles et conçues de manière subtile. Lorsqu'elles installent leur camp, ces tribus décorent leurs tentes de manière somptueuse avec des objets qui ont une forte valeur personnelle – de beaux meubles, de beaux tapis – qu'elles transportent avec elles de place en place. La première fois que j'ai pénétré dans une de ces tentes, je fus stupéfait. La famille à qui je rendais visite avait toute sa culture sous ce toit.

Dans la maison américaine, la cuisine est la pièce centrale où se rassemble la famille. Les cuisines contemporaines incluent télévision, bureau, comptoir avec des tabourets pour s'asseoir et d'autres aménagements qui encouragent le regroupement. La cuisine est le cœur du foyer américain parce qu'un rituel essentiel y prend place : la préparation du repas du soir. C'est un rituel fait de répétition et de reconnexion qui apporte la satiété. En Amérique, préparer le dîner est dans le Code pour « foyer ».

Après avoir grandi en France, je trouvais mes premières visites dans des familles américaines un peu étonnantes. J'entrais souvent dans la maison par une porte de côté ou même le garage et j'arrivais directement dans la cuisine. Là, on me disait de « faire comme chez moi », pendant que l'on préparait le dîner devant moi. C'était une expérience qui m'était étrangère. En France, les maisons sont conçues différemment et les visiteurs sont accueillis tout autrement. Les plus grandes pièces d'une maison française sont les « scènes » : l'entrée, le séjour ou salon, et la salle à manger. Les invités prennent le café ou un verre dans le salon, et le dîner dans la salle à manger et ils ne verront jamais la cuisine. C'était vrai même entre amis proches.

La connaissance du Code explique pourquoi l'expression « *going home* » est si importante pour nous, même après que notre famille eut déménagé dans une autre maison où nous n'avons jamais vécu. Si la maison évoque le retour, la reconnexion, le ressourcement, la réunion et d'autres mots avec le préfixe « re- », alors le lieu physique n'a aucune importance. Ce qui compte, c'est que les sentiments et la famille existent là où se trouve ce que vous appelez « maison ». Conserver nos souvenirs, les albums photos et tous les symboles de la vie familiale est dans le Code parce que ces objets nous permettent de retrouver le sens de la maison lorsque nous en avons besoin. Jeter nos souvenirs pour faire de la place est hors Code. Passer le dîner de Thanksgiving dans la salle à manger trop encombrée de votre grand-mère est tout à fait dans le Code, alors qu'aller célébrer cette fête dans un restaurant, spacieux mais non familier, ne l'est pas.

Pour les entreprises, être conscient du Code offre des façons évidentes de vendre leurs produits pour la maison. Les gens de Betty Crocker[1] sont venus me voir il y a quelques années afin de comprendre le Code pour l'icône Betty Crocker elle-même. Ils pensaient qu'elle avait fait son temps et que s'ils comprenaient les messages inconscients que les Américains recevaient de cette icône, ils pour-

1. Personne imaginaire inventée par une marque de farine en 1924. *(N.d.T.)*

raient revivifier leur marque avec de nouveaux symboles. Au lieu de cela, ils découvrirent que l'image de Betty Crocker avait une empreinte positive très forte dans l'inconscient américain. Le Code américain pour Betty Crocker est : ÂME DE LA CUISINE. Elle évoque des arômes délicieux et des plats chauds. Elle occupe une place importante dans l'image américaine du foyer.

Les responsables de la marque Betty Crocker ont donc complètement changé de plans. Au lieu de se débarrasser de Betty Crocker, ils l'ont relancée. Ils ont donné à la « nouvelle » Betty Crocker un visage qui parlait à toutes les races. Ils lui donnèrent une écriture reconnaissable et une voix pour parler à la radio (où elle donne des conseils pour la maison).

Vendre un produit pour la maison avec l'idée qu'il peut faire partie d'un rituel familial (aussi bien du pop corn que du café ou de la lessive) est une manière valable de déclencher notre réflexe d'amour du foyer. Les marques de téléphones portables proposant des appels gratuits aux membres de la famille sont totalement dans le Code parce qu'ils mettent en avant le fait de se reconnecter à ceux que l'on aime. Une compagnie aérienne, ou une agence de voyages, qui proposerait des offres spéciales pour des réunions familiales serait en plein dans le Code.

Lorsque j'ai travaillé avec GMAC Home Insurance, nous avons appris qu'à un niveau inconscient les Américains croient que la maison c'est l'endroit où sont leurs affaires. Nous avons découvert, par exemple, que lors d'un déménagement, les gens mettaient des affaires personnelles dans un carton, le déposaient au sous-sol et qu'ils emportaient cette boîte – jamais ouverte – de maison en maison, de déménagement en déménagement. Le contenu de cette boîte est sans importance (et parfois même oublié). Ce qui compte, c'est que la boîte contienne des « trucs » et, pour les Américains, les « trucs » ont beaucoup de valeur dans la constitution de leur sens du foyer. Grâce à ce travail, GMAC Home Insurance réfléchit à un programme de préservation des photos de famille – « trucs » très importants – pour leurs assurés. GMAC conserverait des dossiers digitaux de ces précieuses photos et les remplacerait si elles étaient détruites dans un incendie. C'est un service tout à fait dans le Code.

## QU'EST-CE QUI SE PRÉPARE ?

Comme le besoin d'un abri, le schéma biologique pour le dîner est fondamental : tous les êtres humains ont besoin de nourriture. Mais quel est le lien entre l'exigence biologique de se nourrir et le schéma culturel propre à l'Amérique ? Tout comme la notion de *home*, le concept de dîner est très fort dans notre culture.

Les dîners ont une place rituelle en Amérique. Le plus important repas de l'année – le dîner de Thanksgiving – commémore même le début de notre culture. Nous commémorons les fêtes et les anniversaires avec de grands repas familiaux. La célébration du dîner est une des façons les plus communes de marquer un succès, comme une promotion ou un bon bulletin scolaire.

Chacun de ces dîners est un événement majeur qui est source de souvenirs impérissables. Mais quelle est l'empreinte des dîners ordinaires, ces repas que l'on partage avec sa famille (au moins occasionnellement) après une longue journée de travail ou d'école ? Kraft, qui voulait comprendre comment faire pour que ses produits deviennent synonymes de repas, était intéressé par la réponse à cette question et m'a demandé de comprendre ce que le dîner signifiait en Amérique. Plus loin, nous décoderons la nourriture en général, mais ici l'accent est sur le repas qui, comme nous allons le voir, a la plus forte résonance dans l'esprit américain.

Pendant la première heure de ces séances, nous avons écouté ce que les gens pensaient du dîner ordinaire. Il est rapidement préparé. La famille s'assoit rarement pour manger ensemble parce que chacun a un emploi du temps chargé. Lorsque les gens s'attablent en famille, il y a souvent une télévision allumée. Le repas consiste en une pizza livrée ou un plat précuit. La conversation consiste en un rapide débriefing de la journée et ensuite de silence. Le repas est terminé en quinze minutes ou moins.

Rien de cela n'était une surprise. Les Américains qui assimilent santé et mouvement ont des vies très actives. Nous travaillons de longues heures. Nous avons des entraînements de football, des leçons de tennis, des clubs de lecture ou des parties de poker. Nous avons trois heures de devoirs ou une pile de papiers rapportés du bureau. Des émissions à regarder et des e-mails à envoyer. Où sommes-nous censés trouver le temps de préparer un bon repas ou bien de le manger en prenant notre temps avec toute la tribu ? J'ai eu l'impression, pendant cette première heure de conversation, que les Américains considéraient le dîner familial comme un élément désuet, comme les cercles de couture ou le thé.

Mais lorsque nous sommes arrivés à la troisième heure de chaque séance, lorsque les participants se détendaient et pensaient à leur premier souvenir de dîner, au souvenir le plus fort et aux souvenirs les plus récents du dîner, l'importance de ce repas n'avait aucune similitude avec ce qu'ils avaient dit précédemment.

Certains parlèrent de réunions familiales régulières :

> « Chaque soir, j'attendais toujours le dîner avec plaisir. D'abord, ma mère était une excellente cuisinière, donc nous avions toujours quelque chose de bon à manger. Même lorsqu'elle préparait le repas rapidement, c'était délicieux. L'autre chose, c'était que tout le monde s'asseyait et l'on se parlait. Mes parents, mes deux frères et moi, on discutait des évènements de la journée et des projets de celle à venir. C'était un environnement chaleureux, plein d'amour, nourrissant. Chacun avait l'opportunité de parler de ce qui était important pour lui. C'était le moment où on devait partager avec les autres. » Une femme de vingt-sept ans.

> « J'adorais rentrer de l'école et regarder des vieilles émissions à la télé. Une fois, j'avais neuf ou

dix ans, la chaîne qui diffusait *The Honeymooners* l'a déplacé à 18 h 30. J'étais totalement accro à ce feuilleton et j'ai demandé à ma mère si je pouvais dîner dans le bureau plutôt que de manger avec le reste de la famille. J'ai vu que cela la blessait, mais elle m'a dit que je le pouvais et je l'ai donc fait. Ce soir-là, assis dans le bureau avec mon dîner, j'ai trouvé que le feuilleton n'était pas si drôle. Je pouvais entendre mes parents qui parlaient dans la salle à manger et j'avais le sentiment de manquer quelque chose. Le soir suivant, ma mère m'a demandé si je dînais dans le bureau. Je lui ai répondu que j'allais dîner avec la famille. Nous nous sommes assis ensemble. Ma mère m'a tapoté la main en me disant : "Bienvenue." » Un homme de quarante et un ans.

« Tout le monde avait une place précise autour de la table. Parfois mon petit frère essayait de s'asseoir sur ma chaise et je lui arrachais presque la tête. Nous mangions dans des assiettes que nous avions faites dans une de ces boutiques de poterie du genre "faites-le vous-même", et nous mangions toujours à 18 h 45 parce que mon père rentrait à 18 h 30. Lorsque mon frère et moi avons grandi, nous n'avons plus mangé ensemble aussi souvent, mais nous le faisions dès que nous le pouvions. Lorsque je suis allée à l'université et que je dînais à la cafétéria de mon dortoir, j'avais une terrible nostalgie de la maison. » Une femme de dix-neuf ans.

« Comme mon père était représentant, nous n'avions pas très souvent l'occasion de dîner en famille. Mais lorsque mon père était à la maison, le dîner était une affaire importante. Mon premier souvenir remonte à quand j'avais cinq ou six ans. Mon père était de très bonne humeur et tout le monde plaisantait. Mes frères aînés me taquinaient, mais pas méchamment, comme ils pouvaient parfois le faire. Je me souviens de ce moment comme si c'était hier. Je me sentais comme un roi parce que j'étais entouré de gens qui m'aimaient et prenaient soin de moi. » Un homme de cinquante-trois ans.

« Plusieurs fois par an, mon père emmenait toute la famille d'Oakland, Californie, à State Line, Mississippi, pour rendre visite à ma grand-mère. Tous mes oncles et tantes étaient là ainsi qu'une vingtaine de cousins et une dizaine de personnes de mon côté (frères, sœurs, papa, maman). La maison était très bruyante, tout le monde parlait du passé et nous mangions jusqu'à ce que tout soit fini. » Un homme de quarante-huit ans.

Certains évoquaient la vie qui s'en mêlait :

« Mes enfants ont grandi et mon mari a commencé à passer plus de temps sur la route, à peu près en même temps. Pendant un moment, j'ai essayé de faire à dîner, mais j'ai compris que je me racontais des histoires. Mon souvenir de dîner le plus fort, c'est de manger dans un Tupperware, à la cuisine, avec des magazines et du courrier. Mes compagnons de dîner sont les catalogues de vente par correspondance et les factures. » Une femme de quarante-cinq ans.

« Mes deux enfants ont quitté la maison, et je ne fais pas grand-chose pour le dîner maintenant que je suis seule. Si je pouvais changer une chose au passé, j'aurais préparé des repas plus “traditionnels” à mes enfants. J'aurais insisté pour qu'ils dînent avec moi, au lieu qu'ils fassent les trucs qui les occupaient. Le temps avec nos enfants est si court. » Une femme de cinquante ans.

« J'ai pris un travail de nuit parce que le salaire y était meilleur. Malheureusement, cela voulait dire que je ne pouvais plus dîner avec ma femme et mes enfants. Un sandwich à la cafétéria n'a rien à voir avec un repas chaud à la maison. Un soir, ma femme m'a fait une surprise en embarquant les enfants et le dîner et en venant me voir au travail. Tous les cinq, nous étions assis autour de la table de la cafétéria et ce fut le meilleur repas depuis longtemps. J'ai pris un peu plus de temps que ma pause habituelle et mon supérieur n'était pas très content, alors nous ne l'avons pas fait très souvent, mais j'adorais quand ils venaient. » Un homme de trente-neuf ans.

Certains parlèrent de la tristesse liée aux absences définitives à la table du dîner :

« Je n'oublierai jamais le premier dîner de famille après la mort de ma mère. Papa a préparé le repas – c'était son travail, maintenant – et il fit du mieux qu'il put étant donné son état. Quand nous nous sommes assis, ce fut comme si quelqu'un avait découpé un énorme morceau dans la table de la cuisine. On aurait dit que la pièce était sombre et vide. Personne ne parlait. La nourriture ne sentait pas aussi bon, mais pas parce que mon père ne cuisinait pas aussi bien que ma mère. Je me souviens d'avoir eu le sentiment que la famille allait partir en morceaux. » Une femme de vingt-cinq ans.

« Les grandes réunions de famille me manquent vraiment, ainsi que l'amour et la joie qui faisaient partie de ces grandes réunions. Malheureusement, l'argent a brisé la famille et je ne crois pas qu'elle sera à nouveau réunie un jour. » Une femme de trente-six ans.

« Lorsque mon père et ma mère ont divorcé et que mon père a déménagé à Indianapolis, Maman a fait tout ce qu'elle pouvait pour garder des horaires de dîner réguliers et pour nous rassembler à ce moment-là. Mais je voyais bien qu'elle était vraiment bouleversée que Papa ne soit plus là. Elle ne s'en est jamais vraiment remise, et le repas du soir ne fut plus jamais pareil. » Un homme de dix-huit ans.

« Chez moi, le dîner de dimanche était un événement considérable. C'était le seul moment de la semaine où mon père insistait pour que je sois présent. Mes frères et sœurs plus âgés venaient avec leurs enfants et on mettait des rallonges à la table de la salle à manger. Tout le monde était assis et il y avait d'énormes plats de nourriture au milieu de la table. Mes parents passaient toute la journée à cuisiner. Puis mon beau-frère a eu un travail à Cleveland et il a déménagé avec ma sœur et mes deux nièces. C'était bizarre, mais j'ai tout de suite su que c'était le début de la fin. Six mois plus tard, ma sœur aînée a déménagé et deux ans après, je suis parti à l'université et ensuite je me suis installé dans la région de San Francisco. Maintenant, la seule fois que toute la famille est réunie, c'est pour Thanksgiving et c'est un peu artificiel. » Un homme de trente-quatre ans.

Ces récits de troisième heure étaient pleins d'une profonde émotion : les joies de la camaraderie, le plaisir d'un environnement familial chaleureux, la tristesse et le regret de la perte. Même si les Américains n'ont plus très souvent des dîners familiaux assis, ces repas occupent une place spéciale dans leur cœur.

Une notion qui est revenue régulièrement est celle du rassemblement. « Chacun s'asseyait à la table et parlait aux autres. » « Chacun avait une place spécifique autour de la table. » « Tous les cinq nous nous sommes assis autour de la table de la cafétéria et ce fut le meilleur repas depuis longtemps. » « Lorsque nous nous sommes assis, c'était comme si quelqu'un avait découpé un trou béant dans notre table de cuisine. » « Tout le monde s'asseyait et il y avait des grands plats de nourriture au milieu de la table. » L'idée de se retrouver autour d'une table revenait dans un énorme pourcentage des récits. Il y a un sentiment de communauté généré par cet acte, le sentiment que l'on est entouré de gens qui vous soutiennent et sont là pour vous. Vous pouvez vous aventurer dans le monde, mais lorsque vous revenez pour le dîner et que vous prenez place autour de la table, vous êtes vraiment à la maison.

Le Code culturel américain pour le dîner est : CERCLE ESSENTIEL.

La notion de cercle se manifeste de multiples façons dans la culture américaine. Une pratique commune consiste à servir le repas simplement, avec de grands plats de nourriture au centre de la table (créant ainsi une sorte de cercle, même si la table est rectangulaire). Les convives passent les plats autour du cercle afin que tout le monde puisse partager. En plus, le dîner complète le cercle de la journée. Vous vous levez le matin, vous quittez la maison, vous partez livrer bataille dans le monde et puis, à l'heure du dîner, vous retournez à la famille et vous fermez le cercle avec ceux que vous aimez.

La structure du dîner est très différente dans d'autres cultures. Une famille japonaise dîne rarement ensemble. Généralement, les hommes travaillent toute la journée et ensuite ils vont boire avec leurs amis. Lorsqu'ils rentrent à la maison, leur femme leur sert peut-être une petite soupe avant qu'ils aillent se coucher, mais les enfants auront été nourris bien plus tôt. Au Japon, la notion de repas familial est relativement étrangère. Même lorsqu'un couple marié sort dîner avec des amis, les hommes et les femmes mangent séparément.

En Chine, le dîner est entièrement centré sur la nourriture. Elle est préparée dans de nombreux lieux (cuisine, cheminée, à l'extérieur, et même dans la salle de bains) et elle occupe une place énorme dans tout foyer chinois. Les aliments sont suspendus, mis à sécher partout. Lorsque les Chinois mangent, ils se parlent rarement. Au contraire, ils se concentrent entièrement sur la nourriture. Ceci est vrai même lors de dîners d'affaires. On peut être en plein milieu d'une conversation animée à propos d'une affaire importante, mais lorsque les plats arrivent, toutes les conversations s'interrompent et chacun se régale.

Le dîner en Angleterre est une affaire nettement plus formelle qu'en Amérique. À table, les Anglais ont des règles de comportement très claires, y compris la manière dont on se tient lorsque l'on mange, comment on utilise ses couverts, et même comment on mâche. On ne verra jamais des Anglais dans un restaurant offrir aux autres de goûter ce qui est dans leur assiette, comme le font communément les Américains. Les Américains considèrent cela comme convivial ; les Anglais, au contraire, pensent que c'est vulgaire et contraire à l'hygiène.

## C'EST LE DÎNER ET TOUT LE MONDE EST INVITÉ

Se retrouver pour dîner, former le cercle essentiel, est totalement dans le Code. Ce désir a été affirmé catégoriquement lors des séances de découverte. Pourtant, si vous posez la question du dîner familial à n'importe quel chef de famille, vous entendrez probablement des histoires de parents qui achètent les éléments du repas sur le chemin du retour, après une longue soirée au bureau, ou bien de gamin se servant un bol de céréales tandis qu'un autre fait chauffer quelque chose dans le four à micro-ondes avant de sortir. C'est la réalité. Nous sommes très occupés.

Tout aussi intéressant est ce qui n'est pas compris dans le Code. En examinant les récits, on note que les participants parlent rarement de nourriture. Ils n'accordent pas d'importance particulière à certains plats ou à la préparation (nous expliquerons pourquoi lorsque nous serons au Code pour la nourriture), même la femme qui parlait de sa mère en disant qu'elle était une « super cuisinière », que les plats « avaient un goût fantastique » même lorsqu'elle « concoctait quelque chose rapidement ». Le message très fort du Code est que le cercle est la partie importante du dîner. La nourriture est secondaire. Cette pizza livrée est parfaitement bonne si tout le monde dîne ensemble (fait intéressant, DiGiorno, une marque de Kraft, vante sa pizza comme étant aussi bonne qu'une pizza livrée, et non pas aussi bonne que si elle était faite à la maison). La pizza est un dîner idéal, parfaitement dans le Code parce que c'est circulaire et que tout le monde la partage.

Après avoir reçu le Code, Kraft a lancé une campagne utilisant l'expression « Se retrouver autour ». Ils ont même animé le logo de Kraft pour qu'il se transforme en une famille assise autour de la table familiale. Ils se sont positionnés comme facilitant l'expérience américaine du dîner.

Une autre chose non exprimée par le Code est un sens de durée. Peu de participants parlèrent de dîner avec sa famille en prenant son temps. Là encore, la chose importante est le cercle. Le dîner dans le Code est le moment lorsque tout le monde peut se retrouver autour de la table et reprendre contact. Un repas rapide avec toute la famille et la télévision éteinte est dans le Code.

Un dîner n'a pas besoin de se tenir autour d'une table pour être dans le Code. Les restaurants qui parlent de réunir la famille sont tout à fait dans le Code. McDonald's a fait un très bon travail lorsqu'il a lancé Happy Meal. En proposant aux enfants quelque chose spécifiquement pour eux, l'entreprise aide les familles à manger ensemble, même si le repas lui-même n'a rien d'élégant. Tous les restaurants familiaux sont dans le Code parce qu'ils favorisent la réunion de toute la famille pour le dîner, ils offrent quelque chose pour chacun, et ils créent un environnement détendu qui contribue à la joie et à la conversation.

Les restaurants qui mettent en avant le sens de communauté utilisent le Code de manière très forte. Le Melting Pot, une chaîne de restaurants de fondue avec près de cent adresses aux États-Unis, fait cela particulièrement bien. Les clients sont assis dans des boxes qui imitent la table de dîner familiale, et la nourriture est servie au milieu de la table. La fondue est un repas particulièrement dans le Code parce que les convives sont toujours à piquer au centre de la table pour attraper la nourriture. Ceci déclenche un sentiment de partage encore plus fort que lorsque l'on passe les plats autour de la table.

Les produits qui vantent une seule portion sont hors Code pour le dîner, même s'ils sont bien dans le Code pour notre vie très intense. Kraft a adopté une approche marketing à deux coups avec ses macaronis au gratin. Il vend les boîtes d'une seule portion de sa marque *Easy Mac* comme un snack d'après l'école que les enfants peuvent préparer tout seuls, et il vend son *Macaroni & Cheese* classique comme un dîner que toute la famille peut apprécier. Stouffer's a une façon intéressante de garder le concept de la portion unique bien dans le Code. Dans sa récente campagne pour Lean Cuisine, la marque montre une femme vantant auprès de ses amies le somptueux repas basses calories qu'elle a dégusté la nuit précédente. En passant le mot sur Lean Cuisine, elle les invite dans son « cercle ». Même si ces copines ne mangent pas ensemble, elles constituent une communauté lorsqu'elles mangent le même dîner surgelé.

## LE FOYER EST DANS NOTRE CŒUR

Nous avons besoin d'un abri et nous avons besoin de nourriture. En tant qu'Américains, nous faisons de ces besoins de base quelque chose qui touche à la famille et au rituel. Lorsque nous pensons à la maison (*home*), une des premières images qui nous vient à l'esprit implique généralement un grand repas familial. Lorsque nous rentrons à la maison pour rendre visite à nos parents, nous allons y dîner. Le rituel de préparation du dîner est dans le Code pour le foyer, même si, en ces temps bousculés, le dîner sort d'une boîte.

# 6.

# TRAVAILLER POUR GAGNER SA VIE

## Le Code pour le travail et l'argent

« Que faites-vous ? »

Lorsque quelqu'un vous pose cette question, vous pouvez proposer un certain nombre de réponses. Parler de votre travail de parent. Ou bien des tâches variées dont vous vous acquittez pour entretenir votre maison. Vous pouvez répondre en donnant une liste de vos hobbies. Mais en Amérique, la question est en réalité : « Quel travail faites-vous ? » et la seule réponse attendue concerne ce sujet.

Il y a quelque chose de très fort et de révélateur dans la manière dont nous demandons : « Que faites-vous ? » C'est une autre façon de demander : « Quel est votre objectif ? » Comme si, devant une machine étrange, nous demandions : « Ça sert à quoi ? » Nous posons généralement la question dès que nous rencontrons quelqu'un. « D'où venez-vous ? » est la première question, suivie par « Que faites-vous ? ». La réponse nous permet d'évaluer la personne et de nous fournir un sujet de conversation pour la soirée.

Dans plusieurs autres cultures, le travail n'est pas – tant s'en faut – la passion et la préoccupation qu'il est dans la nôtre. Le roman classique de Stendhal, *Le Rouge et le Noir*, définit une culture française dans laquelle la vie n'a de valeur que si l'on sert son pays (dans l'armée – le rouge) ou bien Dieu (comme membre du clergé – le noir). Toutes les autres occupations étaient vulgaires et il était préférable de les laisser aux paysans. Cette attitude marque encore la culture française et conduit à un système où les chômeurs reçoivent plus d'argent que beaucoup de salariés dans le secteur des services. Un best-seller en France s'intitulait *Bonjour paresse*.

La plupart de mes amis européens sont étonnés que je continue à travailler aussi longtemps après avoir gagné assez d'argent pour vivre confortablement pour le reste de ma vie. Pour eux, l'idée de continuer son travail parce qu'on l'aime est impensable. Les Européens prennent habituellement six semaines de vacances par an. Ici, deux semaines est la norme, et beaucoup de gens emportent leur travail avec eux en vacances, ou même ils peuvent rester des années sans prendre de vacances lorsqu'ils bâtissent leur carrière.

C'est l'attitude américaine vis-à-vis du travail depuis le début de notre culture. Lorsque nos ancêtres sont venus en Amérique et qu'ils ont découvert ce vaste pays, leur première pensée ne fut pas : « Prenons le thé ! » Ce fut : « Au travail ! » Il y avait un Nouveau Monde à créer et cela n'allait pas se faire tout seul. Il fallait construire des villes. Il fallait conquérir l'Ouest. Les bases d'une expérience politique audacieuse avaient besoin d'être posées. Il n'y avait pas de temps pour les loisirs, et, en vrai, nous pensons toujours qu'il n'y en a pas plus aujourd'hui. Les Américains travaillent plus d'heures que toutes les autres cultures.

Les Américains célèbrent le travail et font des businessmen qui ont réussi des stars. Donald Trump et Bill Gates sont des stars. Stephen R. Covey, Jack Welch, Lee Iacocca sont auteurs de mega best-sellers. Au lieu de *Bonjour paresse*, nos best-sellers s'intitulent *The Seven Habits of Highly Effective People* et *Good to Great*. Les milliardaires propriétaires d'équipes de sport, comme George Steinbrenner et Mark Cuban, font la une des journaux aussi souvent que les athlètes qu'ils emploient.

Pourquoi le travail a tant d'importance pour nous ?

Pourquoi avons-nous besoin d'aimer notre travail ?

Pourquoi est-ce si important pour nous d'avoir une éthique du travail forte ?

Lorsque je me suis lancé à la découverte du Code pour le travail en Amérique, j'ai pu jouer le rôle de « visiteur d'une autre planète » avec une grande crédibilité. Même si j'avais moi-même une attitude positive par rapport au travail et la passion pour ce que je faisais, j'ai grandi entouré de ceux qui avaient adopté l'attitude française. Je savais déjà que les Américains avaient une approche très différente, mais j'étais curieux de comprendre comment cela s'était imprimé en eux, et ce que cela voulait dire à un niveau inconscient.

Les conversations des focus groupes de la première heure des séances exploratoires varièrent grandement. Certains participants parlèrent avec excitation et optimisme de leur travail, d'autres se plaignirent des longues heures, du bas salaire, et des employeurs difficiles. Et même s'ils semblaient d'accord que le travail était quelque chose « que l'on devait faire », leur attitude vis-à-vis de cette obligation variait. Lorsque nous en fûmes à la troisième heure et que j'ai demandé aux participants de se remémorer leur première impression du travail, une tendance très claire a émergé.

> « Adolescent, je livrais le journal. Il y avait des jours où je le redoutais – les jours de neige étaient les pires – mais la plupart du temps, je m'amusais. J'aimais le jour de la collecte des abonnements, et pas seulement parce que je recevais un pourboire. J'aimais parler aux clients et les connaître. » Un homme de quarante-cinq ans.

> « Mon souvenir le plus fort remonte à tout juste deux semaines. Je suis monitrice dans un camp de vacances et j'ai croisé une des enfants dont je m'occupe, à la boutique de vidéo. Elle m'a vue et elle est venue se jeter dans mes bras et m'a présentée à son père. Lorsqu'elle a dit : “Papa, c'est ma monitrice”, elle l'a dit comme si j'étais la reine. » Une jeune femme de dix-huit ans.

« J'ai trois emplois pour que ma famille s'en sorte. J'ai l'impression de travailler tout le temps. » Un homme de quarante-sept ans.

« Je me souviens de mon premier travail d'adulte. Au lycée et à l'université, je travaillais pendant l'été, mais celui-ci était totalement différent. Je commençais une carrière. J'aimais avoir des collègues, avoir des missions et planifier mon avenir. J'ai eu une promotion au bout de six mois et j'ai eu le sentiment d'être lancée. » Une femme de trente-deux ans.

« J'ai travaillé pour la même entreprise pendant vingt-trois ans. Un jour, une entreprise plus grosse l'a rachetée et tout à coup je n'avais plus de travail. Pendant six mois j'ai essayé de trouver un nouvel emploi, mais rien n'aboutissait. Lorsque je n'étais pas à la recherche d'un travail, j'avais l'impression que je n'avais rien à faire. Ma femme et mes enfants avaient leur vie, mais je n'avais rien. J'ai finalement trouvé un emploi où je gagne bien moins qu'avant. Ce n'est pas pareil et je ne me sens plus le même. » Un homme de quarante-sept ans.

« Mon premier concert payant a changé ma vie. Ça y était ! J'étais arrivé. J'étais un musicien professionnel ! » Un homme de vingt-neuf ans.

« Mon premier souvenir de travail, c'est d'avoir vu ma mère se casser les reins à transporter des cageots de fruits sur son étale. Il me semblait qu'elle luttait tout le temps, mais elle ne se plaignait jamais. Je sais qu'elle n'aimait pas les longues heures et le travail éreintant, mais elle aimait parler aux clients.

Tout le monde la connaissait : c'était la femme des fruits. » Une femme de soixante-neuf ans.

Le ton de ces récits couvrait toute la gamme – les gens étaient heureux de leur travail, ils le détestaient, ils se sentaient pleins d'ardeur, ou bien déçus, dépassés – mais l'énergie de ces récits allait dans le même sens. Le travail vous met dans la position de connaître des gens, d'être admiré par les enfants, d'aider votre famille, ou de planifier votre futur. Avec le travail, vous vous sentez comme une reine, vous avez le sentiment d'être lancé ou d'être arrivé ; parfois le travail vous donnait l'impression que c'était la seule chose que vous faisiez ; si vous perdiez votre travail, vous aviez l'impression de n'avoir plus rien.

Même si les participants avaient laissé penser autre chose lors de la première heure des séances, les récits de la troisième heure révélaient leurs vraies pensées. Pour les Américains, le travail n'est pas seulement ce que vous faites pour gagner de l'argent ou parce que vous y êtes obligé. Même si vous n'aimez pas votre travail, il a une dimension plus grande, une dimension qui touche à la définition de la vie.

Le Code culturel américain pour le travail est CE QUE JE SUIS.

Lorsque l'on porte les nouvelles lunettes que nous donne le Code culturel, la question « Que faites-vous ? » prend plus de sens. Lorsque nous demandons à quelqu'un comment il gagne sa vie, nous lui demandons qui il est. Les Américains croient très fortement qu'ils sont ce qu'ils font. Pourquoi les gens au chômage sont-ils souvent déprimés par la perte de leur emploi ? Parce qu'ils ne savent pas comment ils vont payer les factures ? Certainement. Mais à un niveau plus profond c'est parce qu'ils pensent que s'ils ne « font » rien, ils ne sont rien.

Si le travail est ce que nous sommes, il est parfaitement compréhensible que nous cherchions autant de sens. Si nous avons le sentiment que notre travail est insignifiant, alors « ce que nous sommes » est également insignifiant. Si nous sommes inspirés, si nous pensons que notre travail a une vraie valeur pour l'entreprise pour laquelle nous travaillons (même si cette « entreprise » c'est nous-même), et que nous faisons quelque chose d'intéressant, cette conviction renforce notre sens d'identité. C'est sans doute la raison la plus fondamentale pour laquelle il est important que les employeurs s'assurent que leurs salariés soient satisfaits et motivés. Une entreprise fonctionnant avec des gens qui ont un sentiment négatif de leur identité ne peut pas bien fonctionner.

La chaîne Ritz-Carlton fait un excellent travail pour donner à son staff un sentiment positif de lui-même. L'entreprise appelle ses salariés des « ladies et gentlemen au service de ladies et de gentlemen ». Son but est d'offrir à ses clients la meilleure expérience de leur séjour dans l'hôtel, et le travail de leurs salariés est de faciliter cette expérience. Le Ritz-Carlton comprend que s'ils veulent créer une culture de la sophistication pour leurs clients, ils doivent faire de même pour ceux qui y travaillent. Ils traitent leur staff en adultes et leur donnent un très fort sentiment d'autonomie. Si une femme de chambre rencontre un client qui a un problème et que celui-ci se plaigne à elle, cette femme de chambre a le pouvoir de régler la question en lui offrant un repas ou même une nuit. Ceci donne à la femme de chambre une motivation très forte, le sentiment qu'elle fait partie de la mission de l'entreprise.

Autre élément de l'approche du Ritz-Carlton, ils refusent d'encombrer leurs équipes avec le slogan selon lequel « Le client a toujours raison ». Le président du Ritz-Carlton, comprenant à quel point ce précepte peut être humiliant, conseille à ses employés, si quelqu'un dépasse les bornes, de lui dire ou de le dire à quelqu'un de l'encadrement, et qu'ils s'en occuperont. Encore une fois, cette attitude renforce le sentiment des salariés sur eux-mêmes. Il est beaucoup plus facile de traiter les clients comme des « ladies et des gentlemen » lorsque vous-même vous êtes traité comme une lady ou un gentleman. Les salariés de Ritz-Carlton sont plutôt loyaux envers l'entreprise et très fiers de ce qu'ils font.

La relation avec les salariés reflète l'attitude d'une culture vis-à-vis du travail. En France, le travail vient après la recherche du plaisir. Si un travail n'est pas divertissant, la plupart des personnes préféreront le chômage. Gérard Blitz a adopté cette approche de la gestion des équipes lorsqu'il a fondé le Club Med. Une des premières choses qu'il a faites, c'est de changer les titres. Par exemple, le gestionnaire d'un Club Med est le chef de village. Ensuite, il a instauré des spectacles chaque soir dans lesquels les employés divertissaient les clients. N'importe quel membre du staff pouvait monter sur scène s'il en avait les tripes. En plus, lorsque le Club Med a ouvert ses portes, il s'est positionné comme ouvert aux célibataires et à l'esprit d'aventure. Dans un tel climat très chargé sexuellement, le personnel avait de bonnes chances de partager les plaisirs. Cette atmosphère de camp de vacances dans le cadre d'un hôtel rendait le travail agréable pour le staff, à tel point que le Club Med réussit à payer ses salariés moins bien que ses concurrents.

## TOUJOURS AU TRAVAIL

Les Américains acceptent rarement d'être dans une voie de garage sans se battre, et ils croient très fortement que rien n'est jamais gagné. Un milliardaire travaille encore soixante heures par semaine parce qu'il a constamment besoin de se rassurer. Un cadre moyen qui vient juste d'avoir une promotion met encore plus d'énergie dans son travail parce qu'il a déjà en tête la promotion suivante. Son éthique de travail est aussi forte parce qu'à un niveau inconscient nous assimilons notre travail à notre identité et nous croyons que si nous travaillons dur et que nous progressons professionnellement, nous devenons quelqu'un de meilleur. Souvenez-vous : le Code américain pour la santé est le mouvement et c'est également vrai pour notre santé professionnelle. Il est possible d'être heureux en faisant le même travail pendant trente ans, mais seulement si ce travail nous donne constamment de nouveaux challenges. Sinon, nous pensons que nous sommes « coincés » ou que

« nous n'allons nulle part ». Combien de personnes connaissez-vous qui sont enchantées de faire indéfiniment le même boulot sur une chaîne de montage ou dans un bureau ?

Nous sommes sans cesse à la recherche de la promotion suivante, de la nouvelle opportunité, de la chance de faire quelque chose de grand. Si vous parlez à un chauffeur de taxi à Manhattan, vous découvrirez sans doute qu'il suit des cours afin d'avoir un meilleur travail, plutôt que conduire un taxi pour le restant de ses jours. Si vous rencontrez une serveuse en Californie, elle vous dira sans doute qu'elle a une audition pour un rôle dans un film la semaine prochaine. Le chauffeur de taxi ne sortira peut-être jamais de son taxi et la serveuse déclamera peut-être les plats du jour pendant les vingt prochaines années, mais le sentiment qu'ils sont en route vers quelque chose de plus glamour est tout à fait dans le Code. Par opposition, ceux qui n'agissent pas, qui acceptent les limites de leur travail sans broncher, ont des chances de se sentir insatisfaits de leur vie. L'état désespéré de leur travail a sérieusement endommagé leur identité.

Nos nouvelles lunettes aident à expliquer pourquoi nous célébrons les hommes d'affaires qui réussissent de manière extravagante. Nous adorons l'histoire de Bill Gates qui travaille dans son garage, trouve une idée géniale et devient l'homme le plus riche du monde. Pourquoi ? Parce que cela renforce l'idée que « celui que nous sommes » a un potentiel illimité pour se développer. Le milliardaire qui s'est fait tout seul est un symbole pour nous tous parce que cela prouve que chacun de nous peut travailler dur, peut trouver ce qu'il fait à la perfection et se forger une identité extraordinaire. De même, les histoires comme celles de Tom Clancy (cadre moyen dans les assurances qui devient un auteur de romans extraordinairement populaires) et Grandma Moses (une femme qui commença à peindre quand elle avait soixante-dix ans et devint une artiste légendaire) nous prouvent que nous avons toujours en nous la possibilité de réaliser de grandes choses.

Au fond de nous-mêmes nous croyons qu'il n'y a pas de fatalité à être coincés là où nous sommes. La réinvention de soi est absolument dans le Code. Si votre travail ne vous donne pas le sentiment de vous-même que vous souhaitez, il n'est pas seulement acceptable, mais aussi préférable, de chercher quelque chose de mieux. Les Américains admirent les entrepreneurs parce qu'ils sont nos chercheurs d'identité les plus extrêmes. Ils n'attendent pas que quelqu'un leur dise ce qu'ils doivent être. Au contraire, ils prennent des risques importants pour devenir ce qu'ils croient qu'ils devraient être.

Les entrepreneurs nous inspirent parce qu'ils créent eux-mêmes le parcours pour l'évolution de leur identité. Nous voulons tous croire que par notre travail nous sommes embarqués pour quelque part, que nous n'allons pas rester à la même place pour le restant de nos jours. La plupart d'entre nous ont en tête un travail idéal, et généralement cela implique un mouvement en avant (un plus grand bureau, un plus grand service, être le patron, être en mesure d'abandonner le second emploi). Puisque le travail nous définit à nous-même qui nous sommes, nous investissons de manière significative dans sa progression. Personne ne veut avoir le sentiment d'être « fait », que celui que nous sommes restera en état de stagnation pour le restant de sa vie. Les retraités, après des décennies de travail, recherchent un nouvel emploi lorsqu'ils sont à la retraite, même quand l'argent n'est pas un problème. Nous avons vu qu'ils faisaient cela parce qu'ils redoutent l'immobilisme, l'équivalent de la mort. Mais il est significatif que l'activité qu'ils recherchent est le travail. Ils ne travaillent pas parce qu'ils ont besoin du revenu ; ils travaillent parce que leur identité est tellement attachée au travail qu'ils ressentent le besoin de continuer pour sentir qu'ils existent encore.

Alors, que faire avec le Code ? Pour un employeur, le Code offre un moyen d'améliorer les relations avec les salariés, comme au Ritz-Carlton. Comprendre que les salariés établissent un lien entre leur travail et leur identité permet à l'employeur d'accorder une valeur spéciale à la motivation des équipes. Convoquer des réunions régulières pour solliciter leurs idées sur la manière d'améliorer l'entreprise est totalement dans le Code. Impliquer le staff dans le développement de l'entreprise lui donne un sens accentué de son identité, le sentiment qu'il est une partie intégrante du succès de l'entreprise.

De même, aider les salariés à comprendre la progression de leur carrière est dans le Code. Si quelqu'un se rend compte qu'un travail de bureau peut mener à un poste avec plus de responsabilités, qui, lui-même conduit à un poste de management, de cadre moyen et, au bout du compte, à un poste de responsabilité, cette personne peut voir qu'elle va vers quelque chose. Cela accentue son sens d'elle-même.

Les employés attendent toujours qu'une récompense monétaire accompagne une promotion, mais un employeur qui est dans le Code va encore plus loin. Les promotions doivent s'accompagner de nouvelles responsabilités et spécialement de nouveaux outils pour aider le salarié à accomplir son travail plus efficacement (nouvel ordinateur, droit aux notes de frais, utilisation de machines plus puissantes). En plus de lui donner le moyen de mieux accomplir son travail, ces changements lui donnent viscéralement le sentiment que son identité est en expansion.

Les employeurs font souvent l'erreur de considérer une équipe de salariés (par exemple la force de vente ou l'équipe marketing) comme un groupe homogène qui réussit et échoue ensemble. Offrir des primes (un bonus de groupe ou un voyage) à l'ensemble du groupe est hors Code parce que cela ne prend pas en compte l'individu. Le travail en équipe est important pour une entreprise, mais l'équipe doit être considérée comme un groupe de soutien qui permet aux individus de devenir des champions. Pensez à un orchestre de jazz. L'orchestre met en place la structure musicale qui permet à chaque instrument de briller. Lorsqu'un saxophoniste joue un solo qui remue, il est apprécié en tant qu'individu (applaudissements après le solo) en dehors des autres membres du groupe (qui auront eux aussi leur chance d'être appréciés, plus tard, avec leur propre solo). Envoyer toute une équipe aux Bahamas pour un travail bien fait limite les efforts de chaque employé. Il n'a besoin que de bien travailler pour atteindre les objectifs de l'équipe. Mais si, au contraire, le salarié sait que les récompenses individuelles sont possibles, il y a des chances qu'il s'efforce de dépasser les attentes.

### « MONTREZ-MOI L'ARGENT ? »

Demandez à la plupart des gens pourquoi ils travaillent et ils vous répondront probablement : « Pour gagner de l'argent. » Le Code culturel nous montre que ce n'est en réalité pas vrai, mais, dans notre culture, il existe un lien très fort entre le travail et l'argent.

Le Code pour l'argent offre un outil puissant pour comprendre l'Amérique. Les gens autour de la planète nous voient comme uniquement préoccupés par l'argent. Cette énorme erreur d'interprétation est une des raisons pour lesquelles tant de personnes ne comprennent pas ce qui nous motive réellement. Mais en même temps, les Américains eux-mêmes perçoivent cette préoccupation avec l'argent et pensent que cela suppose que nous sommes au fond de nous-mêmes avides ou que nous préférons les biens matériels aux choses de l'esprit. Ceci est également une idée fausse qui nous ne nous accorde pas le crédit que nous méritons.

Il y a très peu de « vieil argent » aux États-Unis. Dans une écrasante proportion, la richesse appartient à la personne qui l'a gagnée. Notre culture est pleine de gens qui se sont faits eux-mêmes et, d'une certaine façon, pour ce qui est de l'argent, nous partons tous du même point : nous avons tous commencé pauvres. Nous sommes venus ici sans capital, avec le but d'offrir une vie meilleure à nos enfants. Certains réussissent tout de suite de façon extraordinaire, tandis que d'autres améliorent seulement un peu la situation pour la génération suivante. Néanmoins, l'idée que nous venons de rien imprègne l'Amérique. D'une certaine manière, nous avons les riches les plus pauvres du monde, parce que même ceux qui accumulent d'énormes fortunes pensent comme des pauvres. Ils continuent à travailler dur, ils continuent à se concentrer sur le *cash flow* et ils continuent à lutter pour gagner plus.

Une étude lancée par J.P. Morgan et Citibank a révélé pourquoi. Écoutez ces récits de la troisième heure :

> « J'ai encore le premier dollar que j'ai reçu lorsque j'ai ouvert ma teinturerie. Il est encadré dans mon bureau au fond du magasin. Je le regarde tous les matins pour me rappeler que mon affaire est une bonne affaire. » Un homme de soixante-deux ans.

> « Mon père s'est blessé un printemps lorsque j'étais adolescent. Il m'a alors demandé de bêcher le jardin potager pour lui et d'y semer de nouvelles plantes. Ce fut plus difficile que tout ce que j'avais fait jusque-là et plusieurs fois j'ai songé abandonner. Mais j'ai continué parce que je savais que mon père avait besoin que je le fasse. Lorsque j'ai terminé, il m'a donné vingt dollars, une somme respectable à

l'époque. Avec cet argent, j'ai acheté une radio que je désirais vraiment. J'ai conservé cette radio longtemps parce que j'avais travaillé dur pour l'avoir. » Un homme d'une cinquantaine d'années.

« Mon premier, mon plus fort et mon plus récent souvenir d'argent est que je n'en ai pas. Tout ce que je gagne sert à payer les factures. Je ne pensais jamais que ce serait comme cela après toutes ces années. Je ne sais pas comment je me sortirai un jour de ce trou. » Un homme de quarante-trois ans.

« Nous n'avions pas d'argent lorsque j'ai grandi et j'ai dû prendre beaucoup de crédits pour payer l'université. J'ai ressenti cela comme un énorme fardeau lorsque j'ai terminé mes études. Heureusement, j'ai tout de suite obtenu un bon emploi et, après quelques promotions rapides, j'ai bien gagné ma vie. L'une des premières choses que j'ai faites, c'est rembourser mes crédits. J'adorais pouvoir le faire et qu'il me reste encore plein d'argent. » Une femme de trente-deux ans.

« Mon souvenir le plus fort remonte à la première fois où j'ai demandé une augmentation à mon patron. Je m'en sortais et je n'avais pas tellement besoin de cet argent, mais je savais que je lui rapportais beaucoup et que je le méritais. Au début, il a discuté, mais il a finalement accepté. C'était super de savoir qu'il m'appréciait au point de me payer davantage. » Un homme de trente-cinq ans.

« Je suis la dernière de cinq enfants dans ma famille et tous mes frères et sœurs étaient nettement plus âgés que moi. Lorsque nous sortions ensemble, l'un d'entre eux payait toujours pour moi parce que je n'avais pas beaucoup d'argent, mais je me sentais toujours mal. Un soir – c'est mon souvenir le plus fort – nous sommes tous sortis dîner dans un restaurant italien. Le repas était délicieux et nous nous sommes bien amusés. Lorsque l'addition est arrivée, je l'ai attrapée. Ils ont essayé de discuter, mais je leur ai dit que j'avais eu une petite prime au travail et que je voulais inviter tout le monde. Ils étaient fiers de moi et après cela, j'ai eu l'impression que j'avais une place différente dans la famille. » Une femme d'une trentaine d'années.

« Cette séance a été difficile pour moi. J'essaie de ne pas trop penser à l'argent. J'ai des factures par-dessus la tête et je n'ai pas la moindre idée de la manière dont je vais arriver à les payer. La plupart de mes amis ont plus d'argent que moi et j'essaie de faire semblant et de les suivre lorsque nous sortons. Je sais que je ne peux pas faire comme eux et que cela va me tuer si je n'arrête pas. » Un homme de vingt-quatre ans.

À l'évidence, pour les Américains, l'argent est plus qu'un simple moyen de se payer des choses. Il montre où nous en sommes, nous prouve le trajet que nous avons parcouru depuis nos modestes débuts. Ça nous rappelle que notre affaire est solide, que nous avons travaillé dur pour obtenir quelque chose, que nous pouvons nous en sortir, que nous sommes appréciés et que nous progressons vers l'étape suivante. Si nous n'avons pas d'argent nous nous sentons comme dans un trou ; nous avons le sentiment que « cela va vous tuer ».

La culture américaine n'a pas de titres de noblesse pour désigner les gagnants. Nous avons donc besoin de quelque chose qui remplisse une fonction similaire. Les participants nous disent, lors de ces séances de la troisième heure, que cette chose c'est l'argent.

Le Code culture américain pour l'argent c'est : PREUVE.

Malgré ce que les gens d'autres cultures – et beaucoup également dans notre culture – disent de notre attitude envers l'argent, le Code montre que ce n'est pas un but en soi pour la plupart des Américains. Nous comptons sur lui pour nous montrer à nous-mêmes que nous sommes bons, que nous avons une vraie valeur dans le monde. Un Américain ne peut être ennobli pour ses actes ou devenir baronne, comme Margaret Thatcher. En Amérique, les récompenses sont relatives et éphémères. On ne peut prouver ce que l'on a accompli qu'en gagnant le plus d'argent possible.

L'argent est le baromètre de notre succès. La plupart des Américains n'ont pas le sentiment d'avoir réussi s'ils se trouvent sous-payés. L'argent est une carte de score. Si quelqu'un fait le même job que vous, mais gagne plus, vous penserez inconsciemment qu'il travaille mieux. Être payé pour un travail lui confère une crédibilité instantanée. J'ai récemment parlé avec quelqu'un qui m'a raconté sa lutte pour devenir écrivain après avoir abandonné sa carrière en entreprise. Pendant deux ans, bien qu'il produise un travail de qualité, il ne gagnait rien. « J'avais le sentiment d'être au chômage, m'a-t-il raconté, même si j'écrivais dix heures par jour. » Un contrat d'édition a instantanément changé son attitude vis-à-vis de son travail. Soudain, les deux années avaient une valeur. L'argent que lui payait l'éditeur en était la preuve.

Parce que nous croyons que l'argent est une preuve, nous voyons un lien fort entre argent et travail. L'argent gagné par le dur labeur est admirable, preuve que vous êtes une bonne personne. Nous avons peu de respect pour ceux qui héritent au lieu de gagner par eux-mêmes. Nous sommes peut-être fascinés par les exploits de quelqu'un comme Paris Hilton, mais nous n'estimons pas qu'elle a prouvé quoi que ce soit parce qu'elle est née riche et que sa célébrité ne vient que de sa fortune. Nous attribuons les difficultés rencontrées par Patty Hearst au fait d'être une héritière, et nous pensons que les problèmes des enfants Getty est un sous-produit de l'argent. Nous adorons que Bill Gates ait plus d'argent que la reine d'Angleterre, parce qu'il en a gagné tout seul chaque centime.

Si nous n'avons pas beaucoup de respect pour les héritiers qui vivent sur la fortune familiale, nous avons, par contre, des sentiments complètement différents envers ceux qui construisent quelque chose à partir de leur héritage et ont des carrières bien à eux. Robert Wood Johnson a travaillé dur pour que Johnson & Johnson (une marque de produits pharmaceutiques) progresse et franchisse un nouveau seuil de rentabilité. William Clay Ford Jr. a fait de même avec le constructeur automobile Ford. Ces gens, bien qu'ils aient commencé dans la vie avec un avantage par rapport à la plupart des Américains, font leurs preuves en accroissant la fortune familiale. Les entrepreneurs américains disent qu'ils veulent que leurs enfants fassent leurs propres preuves. Ils leur ouvriront, bien sûr, leur réseau (et ils sous-estiment peut-être à quel point c'est important), mais ils ne leur donnent pas un « billet gratuit ». Que chaque génération fasse ses preuves est absolument dans le Code.

Même si nous travaillons très dur, nous trouvons cette dichotomie bon argent/mauvais argent dans notre vie. Une étude que j'ai menée pour Morgan et Citibank révèle que les Américains considèrent les intérêts des placements et les plus-values comme du « mauvais argent » parce qu'ils ne l'ont pas gagné eux-mêmes. Les investisseurs qui avaient participé de manière active à la gestion de leur portefeuille boursier avaient le sentiment qu'ils avaient gagné cet argent, contrairement à ceux qui avaient simplement suivi les conseils de leur agent de change. Les banques et les sociétés d'investissement qui disent à leurs clients « Donnez-nous votre argent et nous le ferons travailler pour vous », sont totalement hors Code. Les sociétés respectant le Code se présentent comme des facilitateurs qui donnent à leurs clients les outils pour produire plus d'argent.

De nombreuses cultures européennes ont un point de vue différent sur l'argent et sa fonction. À un certain moment, dans ces cultures, si l'on gagne beaucoup, on se retire simplement dans sa propriété, on tourne le dos au monde du commerce. Aux États-Unis, bien sûr, on pense que tout est toujours remis en cause et même si on a gagné des milliards, on veut en gagner encore davantage, histoire de prouver combien nous sommes bons. En Amérique, on peut rêver de n'avoir aucune limite, de faire fortune même si on n'avait pas grand-chose à la naissance. En Europe, vous commencez peut-être avec un peu d'argent, mais il est considérablement plus difficile de progresser à partir de là. Un livre publié en France il y a quelques années, intitulé *Les Héritiers*, montrait qu'il y avait très peu de fluidité économique dans ce pays : les enfants de médecins devenaient médecins, les enfants de banquiers devenaient banquiers, et le livre montrait qu'il est très difficile d'entrer dans ces classes sociales et de progresser. Par conséquent, en France, l'argent n'est pas une forme de preuve, mais un simple fait désagréable.

En France, dans les dîners, le sexe est un sujet de conversation banal. Les Français considèrent comme totalement acceptable de discuter avec leurs invités des positions sexuelles, de partenaires multiples ou de lingerie. Par contre, ils estiment que parler d'argent est vulgaire. Il est extrêmement impoli de demander à quelqu'un combien il gagne ou combien il a acheté une chose. Aux États-Unis, bien sûr, nous serions choqués par une discussion sexuelle trop explicite lors d'un dîner, mais nous pouvons parler d'argent toute la soirée. Des Codes culturels différents conduisent à des comportements différents.

On a dit que l'argent était la religion des Américains. Même si c'est souvent lancé comme une critique, il y a un élément de vérité qui n'a pas une dimension négative. La « preuve » que l'argent nous donne est celle de notre vertu : non seulement la preuve de la qualité de notre travail dans notre profession, mais également de notre qualité en tant qu'individus. Nous croyons sincèrement qu'il existe un lien entre vertu et succès monétaire, et que ceux qui trichent et qui mentent pour réussir, seront, au bout du compte, punis spirituellement et financièrement. L'attitude américaine vis-à-vis de la philanthropie est conforme à cet état d'esprit. Il n'y a pas de porte-bagage sur un corbillard, et comme on ne peut emporter avec soi dans l'au-delà ses biens et son argent, les Américains (et pas seulement ceux qui sont au seuil de la mort) choisissent d'en donner une partie importante à ceux qui sont dans le besoin. Les études montrent que les Américains sont le peuple le plus généreux au monde. Même les gens qui s'en sortent tout juste ont tendance à être généreux envers les autres. On dirait même que les riches sont en compétition pour savoir qui donnera le plus. Même si la générosité est authentique, il y a, dans cette culture, un sentiment d'obligation morale très fort qui est lié au fait d'être riche. Les Américains attendent des plus favorisés qu'ils partagent ce qu'ils ont gagné et nous avons tout un système de lois pour favoriser les dons.

Les nouvelles lunettes du Code culturel nous donnent des pistes intéressantes sur la manière de se comporter vis-à-vis de l'argent en Amérique. Il est hors Code, par exemple, de prêcher à ses employés la rentabilité. L'argent est la preuve de la vertu, pas une fin en soi. Au contraire, le management d'une entreprise doit inspirer les salariés à donner le meilleur d'eux-mêmes et à faire que la société soit aussi performante que possible. C'est le Code pour le travail et l'argent. Si c'est fait efficacement, cela conduit au profit.

Les deux Codes ensemble mènent à une conclusion surprenante : l'argent seul est la pire récompense pour un salarié américain. Il ne dure pas et il n'est jamais suffisant. Oui, l'argent est une preuve et donc un élément important de tout système de récompense. Mais l'approche la plus en accord avec le Code est d'utiliser l'argent comme un GPS qui indique au salarié où il se situe sur son chemin professionnel. Lors de chaque promotion, on devrait donner au salarié une représentation visuelle de la courbe salariale sur laquelle il se situe. L'angle de progression de son salaire est un symbole parlant. C'est une preuve visuelle. Un trophée tangible présenté en même temps que la promotion donne au salarié une expérience tactile de sa progression. Peut-être une plaque, peut-être un nouveau bureau ou bien un nouvel accessoire pour le bureau. Ces symboles tangibles perdurent bien plus longtemps que l'argent, même s'ils ont peu de poids sans lui.

### TRAVAIL ET ARGENT : UN MARIAGE AMÉRICAIN FAIT POUR DURER

Le Code montre que les Américains établissent une très forte connexion entre le travail et l'argent. Le sens de sa propre identité que procure le travail est lié à la preuve fournie par l'argent que l'on gagne. Nous regardons avec suspicion – voire avec mépris – l'argent gagné sans effort. Par exemple, nous avons peu de respect pour ceux qui accèdent à la richesse soudaine grâce au loto. Les Américains ne considèrent pas cela comme du « véritable » argent parce qu'il n'a pas été gagné. Un gagnant au loto ne prouve rien, sauf qu'il a eu de la chance. Les gagnants semblent partager en partie cette idée. Leur fortune soudaine en fait des anomalies : ils n'appartiennent pas au club des riches parce qu'ils n'ont pas travaillé pour accéder à ce monde, et ils n'ont plus leur place parmi leurs pairs parce que l'argent les en sépare. Nous oublions le nom des gagnants du loto en quelques jours et on n'entend plus jamais parler d'eux.

Curieusement, nous considérons différemment les gagnants des jeux télévisés. Lorsque Ken Jennings a gagné soixante-quatorze semaines consécutives lors du jeu *Jeopardy !* (empochant en même temps plus de 2,5 millions de dollars) il est devenu immédiatement célèbre. À la différence des gagnants du loto, l'étoile de Jennings n'a pas disparu immédiatement. Il a signé des contrats publicitaires, reçu des invitations à faire des conférences, et une place dans l'histoire de la télévision. Ken Jennings a gagné son argent en affrontant et en battant des candidats pendant des mois. Il a fait ses preuves à répétition.

Une chance a été donnée à Ken Jennings et il l'a saisie. C'est ce que veulent les Américains. Nous rêvons peut-être de gagner le gros lot et de sortir de la course du rat. Mais ce que montre le Code pour le travail et pour l'argent, c'est que le travail est une partie essentielle de ce que nous sommes et que nous demandons seulement une chance de faire nos preuves et de recevoir la preuve tangible que nous avons réussi.

## 7.

# APPRENDRE À VIVRE AVEC

## Le Code pour la qualité et la perfection

Comme nous l'avons établi, la culture est une trousse de secours dont nous héritons à la naissance. Notre culture est ce qu'elle est (et elle change très très lentement) parce qu'elle est adaptée aux conditions dans lesquelles vivent ses membres. C'est pour cela que les tentatives pour imposer des changements sont vouées à l'échec. Nos essais, à la fin des années 1980 et au début des années 1990, d'adapter le modèle japonais dans le domaine de la qualité, en sont une excellente illustration. Les échecs sont une leçon importante sur la manière dont nous menons nos affaires.

Pendant cette période, l'Amérique traversait une récession économique alors que l'économie japonaise connaissait une croissance robuste. De nombreuses entreprises américaines se sont demandé pourquoi les sociétés japonaises réussissaient alors qu'elles-mêmes stagnaient. Beaucoup crurent que c'était une affaire de qualité. L'engagement japonais sur le zéro défaut et les améliorations constantes avaient conduit à leur supériorité dans l'automobile, les ordinateurs, l'électronique domestique, l'électroménager, et nombre d'autres biens de consommation importants. Les produits japonais étaient meilleur marché et de meilleure qualité, une combinaison presque imbattable. Les Américains achetèrent donc les biens produits au Japon comme jamais, poussant l'économie japonaise et freinant la nôtre. De nombreuses entreprises américaines en conclurent que si elles voulaient concurrencer les Japonais sur le marché américain (sans parler de la scène mondiale), elles devaient adopter l'approche japonaise en matière de qualité.

Cette approche échoua. Notre niveau de qualité n'est pas nettement supérieur aujourd'hui que dans les années 1980, alors que les entreprises ont dépensé des milliards de dollars pour changer cela. Pourquoi ? La réponse est dans les Codes.

## POURVU QUE ÇA MARCHE

À la fin des années 1980, AT&T me demanda de chercher le Code de la qualité aux États-Unis. Comme beaucoup d'énormes entreprises américaines, AT&T pensait que les Japonais dominaient en ce qui concerne la qualité et la société était exaspérée par notre incapacité à suivre. AT&T a utilisé le Code pour former 55 000 cadres. Elle partagea les résultats avec la Fondation américaine pour la qualité, et en fit un livre, *Incredibly American*, par Marilyn Zuckerman et Lewis J. Hatala.

Comme toujours, le Code a été révélé par les histoires que les gens ont racontées durant les séances exploratoires :

> « Mon premier souvenir de qualité remonte à la première télécommande de télévision que nous avons eue lorsque j'étais gosse. Il fallait être assis dans un endroit précis de la pièce pour que la télécommande fonctionne, mais j'étais impressionné par le fait qu'il n'y avait plus besoin de se lever pour changer de chaîne. » Un homme d'une quarantaine d'années.

> « La première fois que j'ai été conscient de la qualité, c'était lorsque la sonnerie de mon jeu "Opération" s'est arrêtée de fonctionner. Je suis allé voir ma mère en pleurant et elle a essayé de me consoler en me disant que les choses cessaient de fonctionner après un certain temps et que je ne pouvais pas m'attendre à ce qu'un jeu comme celui-ci dure toujours. Ce n'était pas très réconfortant, mais après toutes ces années, je comprends ce qu'elle a voulu dire. » Un homme de trente-neuf ans.

> « Enfant, j'avais ce super radio-réveil. Le son allait et venait, mais la sonnerie fonctionnait toujours. Avec ce truc, je n'ai jamais manqué un seul jour d'école. Maintenant que j'y pense, ce n'était pas si bien. J'aurais sans doute dû demander à ma mère de m'acheter un radio-réveil qui ne marchait pas aussi bien. » Une femme de trente-six ans.

> « Je n'ai pas de souvenirs très forts de qualité. Mais j'ai des souvenirs de manque de qualité.

Comme l'ordinateur portable que mes parents m'avaient acheté pour mes dix-huit ans. Lorsque j'étais à l'université, cette horreur a planté et effacé des devoirs plus souvent qu'il m'est possible de me souvenir. Je dois le remettre en marche trois fois dès que je veux l'utiliser. Je ne veux pourtant pas m'en plaindre à mes parents parce que je sais qu'il leur a coûté beaucoup d'argent, mais il ne fait pas son travail. » Une jeune femme de dix-neuf ans.

« Ma Ford Impala 64 était une voiture de qualité. Cette chose était indestructible ! Ce n'était pas exactement une voiture de luxe, et je ne veux même pas penser à sa consommation d'essence (ce qui, à l'époque, n'avait pas beaucoup d'importance), mais je serais prêt à parier que quelqu'un la conduit encore aujourd'hui. » Un homme de cinquante-deux ans.

« Je vais vous dire ce qui n'est pas de bonne qualité : le nouveau lave-vaisselle à mille dollars que ma femme m'a convaincu d'acheter. Un jour sur deux il tombe en panne. Nous avons déjà fait venir le réparateur trois fois. S'il n'était pas sous garantie, je mettrais cette poubelle aux ordures. » Un homme de cinquante-quatre ans.

« Ma mère était de qualité. Ce n'est sans doute pas ce que vous demandiez dans votre question, mais c'est mon souvenir le plus fort. Quel que soit son état, même lorsqu'elle était malade, elle était toujours là pour nous. Je n'ai jamais eu un meilleur exemple de qualité de toute ma vie. » Une femme de soixante et un ans.

Il devint évident que les Américains impriment la notion de qualité de manière très différente des Japonais. En réalité, la première image de qualité pour beaucoup d'entre nous est négative. Elle surgit lorsque quelque chose ne fait pas ce qu'elle est censée faire. Le jeu de l'enfant s'arrête, l'ordinateur plante, le lave-vaisselle fait du réparateur un nouveau membre de la famille. Notre image positive de la qualité se concentre sur la fonctionnalité plutôt que sur l'intelligence du design ou l'excellence de sa performance. La télécommande exige d'être dans un endroit particulier, mais au moins elle change de chaîne. Le radio-réveil ne vaut pas grand-chose comme radio, mais c'est un réveil sûr. La voiture n'a pas d'équipement luxueux, mais elle roule.

Ces histoires et les centaines d'autres semblables racontées pendant l'étude montrent que la qualité a une signification différente pour les Américains que pour les Japonais. C'est quelque chose de moins exalté.

Le Code culturel pour la qualité en Amérique est : ÇA MARCHE.

Cette exigence est un peu en deçà du « zéro défaut ». Et cela appelait la question suivante : Si la qualité signifie simplement fonctionnalité, alors que signifie perfection ? Durant les séances d'exploration du concept de perfection, les messages des récits furent également instructifs :

> « Je n'ai aucun souvenir de perfection. Quelqu'un en a-t-il ? Pour moi, la perfection n'est pas dans cette vie. » Une femme de cinquante-sept ans.

« La chose parfaite dans ma vie, c'est ma fille de six ans. Je ne peux pas imaginer quelque chose d'autre de parfait. La perfection n'est pas réelle. » Une femme de trente-sept ans.

« Tout ce que je considérais comme parfait m'a trahi : les produits, les gens, c'est tout pareil. Peut-être que la perfection existe, mais dans un autre univers, sûrement pas dans celui-ci. » Un homme de quarante-huit ans.

« Je n'ai jamais rencontré quelque chose de parfait de ma vie. Je ne suis même pas sûre d'en avoir envie. Si tout était parfait, cela voudrait dire que les choses ne pourraient pas être meilleures. Je n'aime pas cette idée. » Une femme de vingt-six ans.

« Un soir, un de mes copains a réussi un score parfait au bowling. Nous lui avons payé une bière et nous avons fait la fête. C'était très excitant. La fois suivante où nous sommes allés au bowling, il a fait un 143 ou quelque chose comme ça : un score nul. Cela m'a donné à réfléchir. Un jeu est-il finalement si parfait s'il passe aussi vite ? » Un homme de cinquante-cinq ans.

Des phrases comme « Pas dans cette vie », « ce n'est pas la réalité », et « sûrement pas dans cet univers » définissent la perfection comme quelque chose d'abstrait, quelque chose de distant et peut-être de non désirable. La perfection semble être quelque chose que la plupart des gens préfèrent éviter, quelque chose qui marque la fin d'un processus au-delà duquel il ne peut plus y avoir de mouvement.

En Amérique, le Code culturel pour la perfection est : LA MORT.

La connaissance des Codes pour la qualité et la perfection aide à comprendre pourquoi nos tentatives pour imiter les Japonais dans ces domaines ont échoué. Les Américains comprennent le concept de « faire bien la première fois » au niveau du cortex, mais plus profondément, ils ne le veulent pas, ils en ont même peut-être peur. Les raisons culturelles d'une telle attitude sont doubles. En partie, c'est parce que nous sommes une culture adolescente avec des attitudes d'adolescents. Nous refusons que les gens nous disent ce que nous devons faire et qu'ils nous imposent leurs modèles. Nous souhaitons découvrir les choses et apprendre à les faire par nous-mêmes. Mais, encore plus imprimé en nous, il y a l'esprit pionnier qui nous a conduits dans ce pays. Lorsque nous sommes arrivés dans le Nouveau Monde, il n'y avait pas de mode d'emploi pour nous expliquer comment nous débrouiller avec ce que nous trouvions. Nous avons dû tout apprendre par nous-mêmes et nous l'avons fait de la seule manière qui nous est familière : en faisant des erreurs. Apprendre de nos erreurs non seulement nous a permis de survivre, mais nous a également permis de nous développer et de devenir un pays puissant, à la réussite extraordinaire. Nous avons été récompensés pour notre capacité à nous mettre au travail et à mieux faire les choses la deuxième et la troisième fois.

Essayer, échouer, tirer les leçons de nos fautes et être encore plus forts qu'avant est une partie essentielle de l'archétype américain. Nous faisons le va et vient entre des époques pendant lesquelles nous sommes Superman (comme pendant et après la Seconde Guerre), et des périodes pendant lesquelles nous sommes le Géant Endormi (comme à la fin des années 1980 et au début des années 1990, avant la révolution Internet). Combien de fois les « experts » européens ont-ils prédit la chute de l'Amérique ? Lorsque l'Amérique s'endort (à la fin des années 1970, par exemple), ces gens adorent affirmer que l'Amérique est devenue quantité négligeable. Ceci démontre une incompréhension fondamentale de la culture américaine. Les périodes d'échec et de jachère font partie de l'essence même de ce pays, mais nous revenons toujours plus forts, nous retrouvons une position encore plus dominante. Pour les Américains, le chemin du progrès est fait de pics et de vallées profondes, mais les pics sont toujours plus hauts. Récemment, le milliardaire Kirk Kerkorian a acheté un grand nombre d'actions General Motors. Étant donné les faibles performances de l'entreprise, cette décision semblait aller à l'encontre du bon sens. Kerkorian parie que GM est en fait un géant endormi qui, non seulement va résoudre ses problèmes, mais va les résoudre d'une manière qui en fera à nouveau le leader du marché. Il parie sur les cycles et, vu son passé d'investisseur, il y a tout lieu de croire qu'il sait ce qu'il fait. Si vous regardez les gros titres et l'opinion publique mondiale aujourd'hui, vous pourriez dire que, en gros, notre culture est plutôt dans une vallée. Notre économie est terne, notre politique étrangère est hésitante, de nombreuses institutions gouvernementales ne fournissent plus les services essentiels. Quiconque imagine que cette vallée est le signe d'un déclin permanent ne prête pas attention aux cycles historiques.

Parce que notre pays était vaste et peu peuplé lors de notre arrivée, nous sommes habitués à un certain niveau de gaspillage. Si la terre que l'on cultivait ne produisait pas assez, nous prenions de nouvelles terres. Si l'environnement dans une région du pays se révélait inhospitalier, nous déménagions. Il n'y avait pas le besoin d'améliorer le confort de sa maison parce qu'il était plus facile d'en avoir une nouvelle et mieux.

Ceci est fondamentalement différent de la manière dont beaucoup d'autres cultures ont appris à survivre. Prenez, par exemple, les Japonais. Leur pays fait seulement 373 000 kilomètres carrés (comparés aux 9 364 000 kilomètres carrés des États-Unis). Il n'y a jamais eu une nouvelle frontière à explorer. Les Japonais ne pouvaient pas se débarrasser de leur maison ou de leurs terres s'ils s'en lassaient. Ils ont eu besoin de tirer le maximum de leur terre et qu'elle soit aussi productive que possible. En plus, parce qu'autant de gens vivent sur un espace restreint (la population du Japon est de plus de 125 millions d'habitants, soit 43 % de la population américaine sur 4 % de l'espace), l'efficacité est essentielle. Il n'y a pas de place pour le gâchis de produits ou pour des processus inefficaces. Les erreurs coûtent plus cher. La qualité est une nécessité. La perfection est un plus.

Les Américains, d'un autre côté, trouvent la perfection ennuyeuse. Si quelque chose est parfait, vous êtes coincé avec toute votre vie et ce n'est pas du goût des Américains. Nous voulons une voiture neuve tous les trois ans, une nouvelle télévision tous les cinq ans, une nouvelle maison quand nous avons des enfants et une autre lorsque les enfants ont grandi. Mon fils de quatorze ans, né et élevé dans ce pays, illustre cette attitude. Je suis récemment allé chez les antiquaires et il m'a accompagné. Nous sommes tombés sur un superbe canapé du XVIIe siècle et je lui ai dit combien il me plaisait. « Tu aimes ça ? m'a-t-il dit, ironique. Tu sais combien de fesses se sont assises dessus ? Pourquoi tu n'achètes pas un nouveau canapé ? »

La voiture parfaite ne nous servirait à rien. Nous perdrions l'alibi que notre vieille voiture ne marche plus très bien et que nous avons donc besoin d'en changer. Au niveau du cortex, nous méprisons l'obsolescence planifiée (la pratique de nombreux industriels qui consiste à fabriquer un produit qui aura besoin d'être remplacé dans un délai relativement court), mais en réalité ce concept fait partie du Code de la culture américaine. Nous voulons que les objets deviennent obsolètes, parce que, lorsqu'ils le deviennent, nous avons l'excuse de devoir en acheter de nouveaux.

Mais en même temps, nous avons une exigence simple et claire vis-à-vis de nos produits : ils doivent fonctionner. Lorsque nous tournons la clé de contact de notre voiture, nous attendons qu'elle démarre et nous transporte là où nous avons besoin d'aller. Lorsque nous téléphonons avec notre portable, nous exigeons d'avoir une ligne et nous sommes frustrés lorsque soudain le réseau nous coupe. Aucun de nos produits n'a besoin de fonctionner de manière géniale (nos voitures n'ont pas besoin d'être des merveilles d'ingénierie, nos portables n'ont pas besoin d'atteindre la perfection sonore), mais ils doivent absolument remplir leur fonction. D'autres cultures sont plus exigeantes en matière de performance ou de design, mais nous, nous attendons quelque chose de plus simple : l'objet doit fonctionner exactement comme il est censé le faire. D'où la campagne pour le téléphone portable Verizon : « Et maintenant, pouvez-vous m'entendre ? »

Ceci rejoint directement un autre élément fondamental de notre culture. Rappelez-vous, le Code pour la santé est mouvement. Lorsqu'un produit fonctionne – il favorise le mouvement ou ne nous empêche pas de bouger (la voiture nous emmène à notre destination, le portable nous relie) – il est dans le Code. Lorsque le produit ne fonctionne pas – il nous empêche de bouger (la voiture qui passe trop de temps au garage, le portable qui coupe sans raison) – il est hors Code.

Dans une voiture, l'appareil pour tenir la boisson, par exemple, est totalement dans le Code. C'est une idée géniale : voilà une invention toute simple qui nous permet de prendre notre café en voiture. Dix minutes de moins à boire le café à la maison signifie dix minutes supplémentaires pour faire autre chose. Volkswagen a récemment présenté pour la Jetta une boîte à gants réfrigérée. C'est parfaitement dans le Code. Maintenant, il est possible de mettre son déjeuner dans la boîte à gants et de rouler.

Qu'est-ce que cela signifie pour une entreprise qui vend des biens et des services en Amérique ? Le message le plus important est que les Américains accordent une prime à la fonctionnalité. Notre culture n'apprécie pas les fioritures. Nous préférons de loin avoir un téléphone portable qui fonctionne où que nous soyons plutôt qu'un portable qui prend des photos, diffuse de la musique et nous permet de télécharger des clips télévisés. Une voiture sur laquelle on peut compter pour nous transporter au travail, au supermarché, ou à l'entraînement de football a beaucoup plus de valeur à nos yeux qu'un modèle qui se comporte très bien dans les virages ou qui possède des essuie-glaces activés par la pluie.

Le BlackBerry est un exemple de fonctionnalité dans notre Code. Le marché du BlackBerry est celui des cadres qui voyagent, des gens qui passent beaucoup de leur temps sur la route, dans les aéroports et dans d'autres bureaux. L'e-mail à distance est essentiel pour ces managers, mais accéder aux e-mails à distance peut être une corvée si l'on doit passer de longues minutes à se connecter à un serveur et attendre un réseau sans fil. Le BlackBerry répond à ce besoin en avertissant les utilisateurs lorsqu'ils ont un message (un des slogans de l'entreprise affirme : « Vous ne regardez pas vos e-mails, vos e-mails vous regardent »). Vous n'avez alors besoin de vous connecter que lorsque vous savez qu'un message vous attend.

Parce que nous assimilons la perfection à la mort, nous n'attendons de personne des produits parfaits. Nous savons que nos produits tombent en panne. Mais, parce que le Code pour la qualité est ÇA MARCHE, nous voulons que les problèmes soient résolus rapidement et avec un minimum de dérangement. Les Américains sont beaucoup plus sensibles à la qualité du service qu'à la perfection – à laquelle ils ne croient pas, de toute façon. Une crise est donc une opportunité pour développer la fidélité du consommateur. Si un client vient vers vous lorsqu'il a un problème avec un produit ou un service, et si vous le réglez rapidement en minimisant la gêne causée au consommateur, il y a de bonnes chances pour que vous ayez gagné sa fidélité. Vous avez fait vos preuves auprès de cet acheteur.

Ironiquement, si votre produit ne tombe jamais en panne, vous n'avez jamais l'occasion de développer cette opportunité avec le client. Lorsque le client cherchera à remplacer le produit (ce qu'il fera inévitablement), il est probable qu'il aille voir ailleurs parce qu'il n'aura pas développé de lien avec vous. La règle est qu'un excellent service est plus important pour les Américains que la qualité.

L'un de mes collègues a récemment acheté un ordinateur Compaq. Sa vieille machine, d'un autre fabricant, fonctionnait correctement, mais Compaq lui en offrait plus pour son argent. Quelques semaines plus tard, l'ordinateur avait de sérieux problèmes de performance. Mon collègue a appelé le service après-vente, prêt à attendre des heures pour être aidé. Au lieu de cela, en cinq minutes un technicien l'a guidé dans une série de vérifications pour arriver au cœur du problème. Quelques heures plus tard, il était abasourdi de recevoir un appel du même technicien lui demandant si tout allait bien avec son ordinateur et s'il avait d'autres questions. En raccrochant, il était devenu un inconditionnel de Compaq.

Hyundai, le constructeur coréen de voiture, semble avoir compris comment la promesse d'un service hors pair peut améliorer de manière importante la valeur d'un produit de qualité modeste. Le défi pour Hyundai était de lancer une nouvelle marque – sans expérience de succès sur le marché américain – dans le secteur des voitures bon marché, extrêmement compétitif. Les ventes de Hyundai furent médiocres jusqu'à ce qu'ils introduisent une garantie totale de dix ans sur leurs modèles, qui incluait assistance sur route et voiture de remplacement en cas de panne. Le message était : « Oui, nous savons que cette voiture n'est pas le top, mais nous faisons tout pour vous aider à continuer à rouler. » C'était parfaitement dans le Code et l'idée a touché le public américain. Depuis, les ventes de Hyundai ont progressé de manière spectaculaire.

## NE PAS DEVENIR JAPONAIS

Certaines des plus grosses entreprises américaines ont investi des sommes énormes à la fin des années 1980 et au début des années 1990 pour essayer d'égaler la qualité des Japonais. Au niveau du cortex, cela s'explique. Une meilleure qualité devrait générer plus d'affaires. Mais, au bout du compte, ce mouvement a échoué. On n'entend plus les entreprises américaines parler de zéro défaut ou bien d'amélioration continue. Pourquoi ? Parce que ce n'est pas synchrone avec la culture américaine, et rien de ce qui contredit le Code d'une culture ne peut avoir du succès sur la durée. Les Américains n'accordent pas une prime à la qualité. Nous voulons simplement qu'une chose fonctionne. Nous ne croyons pas à la perfection, alors le concept de zéro défaut nous semble un fantasme. Des notions qui sont une partie nécessaire au kit de survie des Japonais sont complètement hors Code ici. Et même, nous les rejetons.

Nous réagirions de la même manière à tout autre concept incompatible avec notre culture. Vous vous souvenez de la manière dont Nestlé a essayé de convaincre les Japonais d'abandonner le thé pour le café et de leur insuccès ? Qu'ils aient même essayé nous semble aujourd'hui ridicule. Lorsque l'on tente d'apporter quelque chose de nouveau dans une culture, nous devons adapter cette idée à la culture en question. Cela ne marche pas autrement.

# 8.

# PLUS EST MIEUX

## Le Code pour l'alimentation et l'alcool

Une des choses qui m'ont intrigué lorsque je suis arrivé dans ce pays, c'était le buffet à volonté. Cela n'existait pas en France ; je n'en avais jamais vu en Europe. Pourtant, en Amérique, dans chaque ville où j'allais, je voyais des panneaux dans de nombreux restaurants annonçant : « Tout ce que vous pouvez manger : 9,99 dollars. » Je trouvais cela déroutant. Mon expérience des restaurants américains c'était qu'ils me servaient toujours plus que je pouvais manger. Alors pourquoi faire un argument marketing du fait de servir autant qu'il est possible de manger ? J'étais encore plus déconcerté par ce que je voyais lorsque j'allais dans un de ces restaurants : des gens bourraient leur assiette de toutes sortes d'aliments et les avalaient aussi rapidement que possible pour pouvoir retourner au buffet.

Comment un buffet à volonté à 9,99 dollars peut-il provoquer une gloutonnerie pareille ?

Pourquoi le fast-food est une institution américaine qui ne disparaîtra jamais ?

Pourquoi sortir dans le but de se saouler est ici un comportement banal et plus rare en Europe ?

Comme toujours, les réponses sont dans le Code.

## FAIRE LE PLEIN

En Amérique, dîner est une expérience entièrement différente par rapport à la France. Ici, nous voulons notre nourriture aussi rapidement que possible, même dans un bon restaurant. Les Français, d'un autre côté, ont inventé la notion de « slow food ». Même s'ils peuvent préparer un plat rapidement, ils ne le font pas parce qu'ils pensent qu'il est important d'abord de créer l'atmosphère du dîner et de faire monter l'impatience. En Amérique, nous mettons plusieurs types d'aliments – viande, poisson, légumes, féculents, parfois même fruits et fromage – dans une même assiette parce que c'est la manière la plus efficace de servir un repas. En France, chaque type d'aliment vient dans une assiette différente afin d'éviter que les saveurs se mélangent et pour permettre aux convives d'apprécier les qualités de chaque préparation. Les Américains veulent l'abondance et leur but est de manger tout ce qui est servi. Les portions des Français sont nettement plus petites et pour eux il est vulgaire de vider son verre ou son assiette à la fin du repas. Les Américains terminent leur repas en disant : « Je suis plein. » Les Français achèvent leur repas en disant : « C'était délicieux. »

Un grand nombre de caractéristiques américaines remontent à nos débuts modestes. Nous avons beau être le pays le plus riche du monde, au niveau reptilien, nous nous considérons comme pauvres. Nous commençons avec rien et nous travaillons pour acquérir la richesse, et même lorsque nous réussissons, le comportement de pauvres demeure. L'attitude des pauvres face à la nourriture est la même dans le monde entier : ils mangent autant que possible lorsqu'ils le peuvent parce qu'ils ne savent pas s'ils auront à manger le lendemain. Cette attitude ressemble à celle de beaucoup de prédateurs : lorsqu'ils capturent une proie, ils dévorent parce qu'ils ne sont pas certains de capturer une autre proie le lendemain. Dans cet esprit, nous mangeons toute la nourriture qui nous est offerte et alors seulement nous sommes satisfaits. Lorsque quelqu'un absorbe d'énormes quantités, nous disons : « Il peut vraiment en mettre dans son buffet. » Inconsciemment, c'est exactement ce qu'il fait. Il met autant de nourriture de côté qu'il le peut afin de prévenir une famine (bien que les risques de famine soient extrêmement minces).

C'est une situation dans laquelle nos débuts humbles et notre désir d'abondance se croisent. Au niveau reptilien, l'inquiétude au sujet du repas suivant nous dicte de manger avec appétit avant que la nourriture ne disparaisse. Alors que notre cortex nous dit qu'il y aura de la nourriture sur le buffet toute la soirée, notre cerveau reptilien ne prend pas de risques. Dans cette bataille entre cerveaux, le cerveau reptilien l'emporte.

Bien que les autres cultures aient connu leur lot de privation et même de famine, différentes influences sont venues tempérer le désir de stocker. La culture italienne, par exemple, est très influencée par le modèle aristocratique. Un aristocrate ne se bourrerait jamais au buffet. Il n'avalerait pas son repas à toute allure. Un aristocrate déguste chaque morceau et en apprécie la saveur et la consistance. L'approche aristocratique a imprégné toutes les couches de la société italienne. Quelle que soit leur place dans la société, les Italiens ont un sens très développé du raffinement en matière de cuisine et ils croient que trop manger détruit la capacité à apprécier le goût. Il est extrêmement inhabituel de trouver un buffet, quel qu'en soit le prix, en Italie.

Au niveau limbique, les Américains établissent un lien fort entre nourriture et amour. À l'évidence, cela vient de nos premiers souvenirs lorsque nous étions nourris par notre mère. Quand on nous donne à manger, on est tenu, câliné et rassuré. En grandissant, bien que notre mère ne nous nourrisse plus de la même manière (même si elle continue à nous demander, dès qu'elle nous voit, si nous voulons manger quelque chose), le sentiment de bien-être lié à la nourriture perdure. Aux États-Unis, la nourriture s'apparente à des relations sexuelles protégées. Alors que nous avons inconsciemment des appréhensions vis-à-vis du sexe, nous trouvons tous acceptable d'ingurgiter de la nourriture par pur plaisir. C'est sans doute pourquoi tant de personnes mangent autant.

Mais le plaisir que nous avons à manger n'est rien face à notre besoin de bouger, notre désir de remplir le temps par l'action. Nous sommes un pays en mouvement et nous n'avons pas de temps à perdre devant notre assiette. On a récemment rapporté que l'Américain moyen dîne en six minutes. Traîner c'est bon pour les retardataires, comme les Français. Manger en courant est un passe-temps national et nombre d'entre nous avalent leur repas (souvent acheté dans un fast-food) en voiture (avec la boisson dans son porte-verre, bien sûr), en route pour un rendez-vous. Il n'y a rien de sexy dans cette expérience.

Souvenez-vous de ces observations – le fait que nous considérions la nourriture différemment des Européens, que nous mangions comme si nous étions encore pauvres, que la nourriture ressemble à des relations sexuelles protégées, que nous pensions que nous n'avons pas de temps à perdre en mangeant – en lisant ces récits de troisième heure :

> « Au moins deux fois par semaine, j'essaie de préparer un bon dîner pour ma famille, mais nous ne nous installons pas très souvent ensemble. Le reste du temps nous mangeons sur le pouce, en allant à l'entraînement, en cours, au club, et tard le soir au bureau. J'essaie d'avoir à la maison des aliments qui soient nutritifs pour les enfants et qui leur permettent de se recharger rapidement. » Une femme de quarante et un ans.

« Mon souvenir le plus marquant, c'est le traiteur que j'ai trouvé près de l'un de mes clients. Ils préparent d'énormes sandwiches que je peux manger en allant à mes rendez-vous. Ils sont bons et me donnent de l'énergie. » Un homme de cinquante ans.

« Je suis un fou de santé et je fais très attention à ce que je mange. Je limite les graisses et les hydrates de carbone et je ne mange que des viandes maigres et des légumes bio. Pour moi, il n'y a pas de raison de manger si les aliments ne vous aident pas à être en bonne santé. Je prévois de vivre vieux. » Une femme de vingt-sept ans.

« J'adore les pâtes, mais après en avoir mangé, je somnole. Je me suis rendu compte que si je ne mangeais pas de protéines pour le déjeuner, je n'étais plus bonne à rien l'après-midi. Lorsque le régime Atkins est sorti, j'ai pensé que c'était la meilleure solution. Un cheeseburger au bacon chaque jour, et j'avais plus d'énergie. » Une femme de trente-quatre ans.

« Mon premier souvenir de nourriture remonte au jour où mon père m'a emmené au McDonald's. Je jure que les frites m'ont fait tourner la tête. Maintenant que je suis seul, j'y vais aussi souvent que possible pour les frites. Je sais que certains disent que c'est mauvais pour la santé, mais je me sens bien quand j'en mange. J'ai entendu parler d'un type qui a fait un film sur son régime entièrement à base de McDonald's. C'est quelque chose que je pourrais tout à fait faire. » Un homme de vingt-deux ans.

« Je garde le souvenir de quelques bons repas, mais pour être tout à fait honnête, cela tenait plus aux personnes avec qui j'étais qu'aux plats. Je serais incapable de vous dire ce que j'ai mangé dans la plupart des restaurants élégants où je suis allée, mais je me souviens de chaque discussion. Manger n'a jamais été important pour moi, j'oublie même parfois. Je ne mange que pour continuer à fonctionner. » Une femme de trente-trois ans.

Toutes les histoires ne sont pas semblables, bien sûr. L'Amérique a une sous-culture d'aficionados de la table, qui aiment la cuisine et prennent du plaisir à élaborer des plats. Une chaîne câblée est consacrée à la cuisine, des dizaines de magazines de cuisine sont publiés chaque mois, et il y a d'excellents restaurants (certains des meilleurs au monde) dans tout le pays. Pourtant, les réponses de la vaste majorité des participants dans les séances de découverte suggèrent que la sous-culture des gourmets, aussi dynamique soit-elle, n'est pas représentative de l'attitude des Américains envers la nourriture.

L'écrasante majorité des réponses que j'ai reçues évoquaient non pas le plaisir du palais, mais plutôt la fonction de la nourriture. « Une bonne valeur nutritive qu'ils peuvent avaler rapidement. » « Des cheeseburgers au bacon pour le déjeuner chaque jour, et j'avais plus d'énergie. » « Il n'y a pas de raison de manger si la nourriture ne contribue pas à la santé. » « Je le fais vraiment pour continuer à fonctionner. » Pour chaque gourmet qui parlait de goût, de texture et de repas savouré, il y avait deux douzaines de gens pour lesquels manger n'est qu'une nécessité et non un plaisir. Le message clair qui est sorti de toutes ces histoires, c'est que le corps est une machine et que le rôle de la nourriture est de continuer à la faire tourner.

Le Code américain pour la nourriture est : CARBURANT.

Les Américains disent « Je suis plein » à la fin d'un repas parce que pour eux, inconsciemment, manger c'est faire un plein. Leur mission a été de remplir leur réservoir. Ensuite, ils annoncent que cette tâche est terminée. Il est également intéressant de noter que sur les autoroutes à travers le pays, on trouve des aires qui combinent station-service et restaurants. Lorsque vous arrivez à la pompe et que vous demandez de remplir le réservoir, il ne serait pas totalement inapproprié que le responsable de la station vous demande : « Lequel ? »

Les Américains considèrent leur corps comme une machine qui a une fonction à remplir et dont nous avons besoin à long terme. Certains choisissent de l'entretenir grâce à d'autres machines – les équipements des clubs de gym, que l'on dirait conçus par le Marquis de Sade. Mais nous savons tous que nous avons besoin de carburant pour faire tourner ces machines.

Curieusement, nous semblons moins concernés par la qualité du carburant qu'on aurait pu le penser. Malgré les nombreuses mises en garde sur leur impact sur la santé, les Américains adorent les fast-foods. Dans son livre, *Fast Food Nation*, Eric Schlosser note que « les Américains dépensent maintenant plus en fast-food que pour les études supérieures, les ordinateurs, les logiciels ou les voitures. Ils dépensent plus dans les fast-foods que pour le cinéma, les livres, les magazines, les journaux, les vidéos et la musique enregistrée réunis. En 1970, les Américains dépensaient environ 6 milliards de dollars en fast-food. L'année dernière, ils ont dépensé plus de 100 milliards. »

Quoi que l'on pense de son goût ou de ses qualités nutritionnelles, le fast-food est totalement dans le Code. Il nous permet de faire le plein rapidement. Nous n'avons pas besoin d'attendre et, rassasiés, nous pouvons reprendre nos tâches. Cela satisfait notre besoin de mouvement et notre désir adolescent d'avoir tout tout de suite. On peut débattre du fait que le fast-food n'est pas spécialement un bon carburant pour remplir son réservoir, mais combien d'entre nous mettent de l'ordinaire dans notre voiture alors que le fabricant nous dit de mettre du super ?

Dans beaucoup d'autres cultures, la nourriture n'est pas un outil, mais plutôt un moyen de faire l'expérience du raffinement. En France, le but est le plaisir. Un repas préparé à la maison est un moment que les convives savourent. Dans les restaurants, le repas s'apparente à une symphonie, avec de nombreux « artistes » : le chef, les serveurs, le sommelier, le maître d'hôtel, tous travaillant de manière synchronisée. D'ailleurs, les Français utilisent le mot chef pour désigner le cuisinier et celui qui dirige un orchestre.

Au Japon, la préparation et la dégustation des plats sont un moyen d'approcher la perfection. Les chefs qui préparent les sushi étudient de manière assidue l'art du couteau en sachant qu'un morceau de poisson parfaitement coupé a un goût et une texture excellents. Les Japonais considèrent les meilleurs chefs sushi comme des maîtres, des artistes au plus haut degré.

Comme nous l'avons déjà évoqué, aller à l'encontre des Codes d'une culture est un exercice futile. Il est irréaliste de croire qu'une importante fraction d'Américains concevra la nourriture comme un plaisir ou comme la recherche de la perfection, plutôt que comme un carburant. Qu'est-ce que cela signifie pour l'industrie alimentaire ?

Vendre de la quantité plutôt que de la qualité a du sens. La formule « Mangez tout ce que vous pouvez » a tout bon. Les restaurants qui mettent l'accent sur les portions généreuses auront toutes les chances de voir un défilé continu de clients. Les Américains exigent des portions énormes, surprenantes pour des étrangers, même dans les meilleurs restaurants. Vous vous souvenez peut-être des premiers temps de la nouvelle cuisine lorsque les restaurateurs servaient de petites portions présentées de façon élaborée. Le marché américain n'a pas embrassé cette tendance parce qu'elle était hors Code. Aujourd'hui, les portions, même dans la plupart des restaurants haut de gamme, sont gigantesques. On assiste à cette chose incongrue : des clients sortant de restaurants quatre étoiles avec un *doggie bag*.

Vendre la rapidité a, bien sûr, beaucoup de sens. Les rayons des supermarchés sont remplis de plats que les femmes débordées peuvent passer au micro-ondes et servir en cinq minutes. Mettre en avant la rapidité de préparation d'un produit est en plein dans le Code parce que cela touche notre besoin de manger en bougeant, de remplir le réservoir et de continuer notre mission.

Taco Bell a récemment lancé une campagne pour son menu à 99 cents dans laquelle des clients ravis annoncent : « Je suis plein. » C'est évidemment tout à fait dans le Code. Ils annoncent clairement que l'on peut remplir son réservoir (et exprimer sa joie ensuite) pour une somme très modique.

Red Bull, la boisson énergétique, a une approche différente pour promouvoir son produit, mais dans le Code. Cette boisson « vous donne des ailes ». Les publicités montrent des personnages de dessins animés buvant du Red Bull et se retrouvant pleins d'énergie. Ici, le message est que la boisson est un carburant à fort taux d'octane qui vous propulse dans votre vie très active.

Certains produits alimentaires adoptent une approche encore plus directe pour se positionner. On peut acheter une barre alimentaire PowerBar pour faire le plein de protéines. Des suppléments nutritionnels ont des noms évocateurs : Ultimade Diet Fuel, Yohimbe Fuel, et Blitz. Il est difficile d'être plus dans le Code.

Pour l'industrie alimentaire, ce code laisse entrevoir d'immenses opportunités en exploitant cette conception de la nourriture vue comme un carburant propulsant le corps-machine. Puisque nous utilisons notre machine pour différents buts à différents moments de la journée et que différentes vitamines et substances nutritives nous aident à remplir certaines tâches – les vitamines B, par exemple, pour l'énergie, les bonnes graisses pour le cerveau, le magnésium pour la relaxation, etc. – une marque qui vendrait ses produits comme un carburant pour un type spécifique d'activité (par exemple, une céréale qui vous aide à démarrer votre journée, une autre que vous pourriez manger avant un entraînement sportif, et une troisième en faisant vos devoirs) se positionnerait dans le Code de façon totalement nouvelle.

## DEUX BOÎTES VALENT MIEUX QU'UNE SEULE

La manière dont on imprime un archétype et le moment où on le fait conditionnent la force et le sens de cet archétype. Le *timing* de l'empreinte de l'alcool dans notre culture et dans la culture française permet de voir cela à l'œuvre de manière fascinante.

Comme je l'ai mentionné plus haut dans ce livre, même si les Français ne permettent pas à leurs enfants de boire, ils les initient en acceptant qu'ils boivent une gorgée ou trempent un gâteau dans un verre de champagne. Ils apprennent à leurs enfants que le vin met en valeur les plats et que les vins plus âgés, avec un degré d'alcool moindre, sont les meilleurs parce que l'alcool atténue les saveurs du vin.

Les Américains, avec leur longue histoire de tempérance (c'est l'une des rares cultures occidentales à avoir, au cours de son histoire, rendu illégale la consommation d'alcool pour tous les citoyens), tiennent en général leurs enfants complètement éloignés de l'alcool jusqu'à ce qu'ils soient adolescents. Les Américains leur apprennent que l'alcool est un produit toxique qui peut conduire à des comportements irresponsables.

Leur connaissance se limite donc à la notion selon laquelle l'alcool « C'est mauvais pour toi », et ils se forment leur propre idée de l'alcool à l'âge de la rébellion. Lorsqu'ils ont accès à l'alcool (souvent trop jeunes, ce qui accentue le sentiment de faire quelque chose de tabou), ils n'en connaissent rien de ses plaisirs, de ses subtilités mais ils en découvrent rapidement ses pouvoirs enivrants. Le goût est sans importance. Ce qui compte, c'est que cette substance peut vous rendre un service : elle peut vous saouler. Bonus : vos parents désapprouvent. Vous pouvez donc à la fois vous rebeller et vous défoncer.

Se saouler n'est en aucun cas spécifique aux Américains. Pourtant, la phrase « Sortir se saouler » est typiquement américaine. Les gens dans les autres cultures recherchent l'ébriété de différentes manières, mais c'est seulement aux États-Unis, avec une éthique du travail aussi marquée et un penchant pour l'action, que l'objectif est déclaré aussi directement. Le but de nombreux adolescents et étudiants américains est non pas d'aller à une fête ou en boîte ou de passer une soirée entre amis, mais « de sortir se saouler ». L'ingéniosité américaine a même inventé la manière la plus efficace d'accomplir cette tâche : un chapeau qui nous permet de boire deux cannettes de bière en même temps grâce à une paille.

Le Code pour l'alcool est-il aussi efficace – l'équivalent de la nourriture comme carburant, mais avec pour mission l'ivresse ? Ce n'est pas si simple. Lorsque la marque de whisky Seagram, Jack Daniel's et les vins Gallo ont commandé une recherche, les récits ont révélé des premières empreintes tout sauf banales :

> « Mon premier souvenir de l'alcool remonte à l'âge de sept ou huit ans. Mes parents recevaient des amis et je voulais absolument que mon père me fasse goûter son scotch. Finalement, il a dit : "D'accord, mais tu dois boire cul sec." J'ai fait ce qu'il m'a dit et je me suis presque étouffé. Je me suis senti très mal tout le reste de la journée. J'ai vraiment pensé que j'allais mourir. » Un homme de quarante-deux ans.
>
> « Lorsque j'avais treize ans, nous avons chapardé de l'alcool dans le placard des parents d'un ami. Aucun d'entre nous ne savait ce qu'il faisait, mais nous avons pris une bouteille de vodka. Mon copain m'a dit qu'il avait vu ses parents le boire avec du jus d'orange, alors nous en avons mélangé. Notre première gorgée avait le goût de jus d'orange. Nous en avons donc rajouté, quelque chose comme un quart de bouteille. La gorgée que j'ai bue avait le goût de médicament, mais j'ai instantanément senti les changements dans mon corps. » Une femme de vingt-huit ans.
>
> « Mon souvenir le plus fort, je venais juste de commencer un nouveau travail. C'était l'anniversaire du patron et un groupe est sorti avec lui pour fêter ça. J'ai découvert que c'était un énorme événement chaque année et que cela tournait autour de la boisson. Chacun a commencé à boire en quantité folle. J'étais le nouveau et je voulais être accepté, alors j'en ai descendu plus que ma part. Je pensais

que je tenais bien la route jusqu'au moment où je me suis levé pour aller aux toilettes. Je me suis immédiatement effondré. J'ai été malade pendant des jours. » Un homme de trente-sept ans.

« Je buvais beaucoup à l'université. Beaucoup. Énormément. Ce dont je me souviens le mieux de cette époque, c'est que je prenais toujours un ou deux verres dans ma chambre, seule, avant de sortir, histoire de me mettre en forme. Ces verres me faisaient sortir de moi-même, ce qui était l'idée, à l'époque. » Une femme de trente-cinq ans.

« L'alcool est une chose très puissante. Il me rend fort. Il m'aide à oublier. Il me donne plus confiance en moi. Je pourrais m'en passer, mais si je suis dans une situation stressante, c'est bien de prendre un ou deux verres. » Un homme de cinquante-quatre ans.

L'étude révéla que l'alcool avait un effet très puissant, la capacité de modifier la vie et les situations. La structure et les images véhiculées par ces récits suggèrent quelque chose qui « vous fait sentir misérable », comme si vous « alliez mourir ». Votre corps change presque instantanément, vous allez vous « effondrer sur-le-champ », vous « fait sortir de vous-même », et c'est quelque chose qu'il « est agréable d'avoir de son côté ». L'alcool est plus qu'un carburant. C'est très puissant, instantané et extrême.

Le Code pour l'alcool dans la culture américaine est : ARME À FEU.

Ce fut une découverte choquante et forte. Le contraste est tellement saisissant entre le Code américain et l'attitude européenne vis-à-vis de l'alcool. Toutefois, cela ne devrait pas nous surprendre : il y a toujours eu un lien très fort entre l'alcool et les armes à feu dans cette culture. Pensez aux saloons dans l'Ouest américain et à l'image récurrente de gens qui se soûlent et se battent en duel, ou le sheriff qui avale cul sec un verre de whisky avant d'affronter le méchant. Pensez à toute la sous-culture gangster née pendant la Prohibition. Pour désigner un petit verre d'alcool fort nous utilisons le mot « shot », comme un coup de feu. Aucune autre culture n'emploie ce terme. Il y a même sur le marché une liqueur de malt qui s'appelle Colt 45.

La musique hip hop est connue pour ses images de violence et ses références aux revolvers et au meurtre. En 1999, le Center for Substance Abuse Prevention, dépendant du Département de la santé américain, a mené une étude sur les 1 000 chansons les plus populaires en 1996 et 1997, et a découvert que 47 % de ces chansons faisaient référence à l'alcool.

Ce Code explique l'aura de danger qui entoure l'alcool dans la culture américaine, si surprenante pour les Européens. Quand nous buvons avec excès, quelque part nous avons le sentiment de jouer avec un revolver chargé. Lorsque nous interdisons de conduire après avoir bu ou lorsque nous désapprouvons l'ivresse, c'est que nous craignons ce qui pourrait se passer si le coup partait.

Le Code aide à comprendre pourquoi les adolescents sont fascinés par l'alcool. À cet âge, il est particulièrement attirant de flirter avec le danger parce que l'on se sent invulnérable. Y a-t-il une meilleure façon de prouver votre invincibilité que de jouer avec des armes ?

Vendre de l'alcool aux États-Unis est une affaire compliquée. Les marques doivent être dans le Code et en même temps rebuter une partie importante du marché dont le cortex lui dit que boire avec excès est socialement inacceptable et dangereux. La ligne est mince entre être à la fois hors Code de manière constructive et être totalement hors Code.

Utiliser l'imagerie liée aux armes est certainement attirant pour les jeunes. La marque de rhum Captain Morgan semble aller dans cette direction pour vanter son produit. Le pirate sur la bouteille de Captain Morgan arbore un sabre au lieu d'un revolver, mais le message est le même. La liqueur de malt Colt 45 a un succès énorme dans la culture hip hop en associant un produit à un revolver dans une communauté saturée de paroles violentes.

La liqueur de malt St. Ides est même allée plus loin. Ils ont créé une série de publicités utilisant comme porte-parole des artistes hip hop dont plusieurs soulignaient le lien explicite entre alcool et armes à feu. Eric B. et Rakim parlent de St. Ides comme étant « aussi féroce qu'un Smith & Wesson ». Les rappeurs Erick et Parrish appellent leurs copains à « sortir le flingue pendant que je bois une gorgée ».

Anheuser-Busch a fait la promotion de la bière Busch auprès des chasseurs grâce à des affiches représentant un labrador gonflable et des bannières décorées de canards volant au-dessus de cannettes de bière Busch. Ils ont distribué « un catalogue de vrais vêtements de chasse Busch » incluant un porte-verre camouflage et une boîte à fusil flottante, avec le logo de la marque.

Plus haut, nous avons évoqué la manière dont les annonceurs réussissaient à utiliser les fantasmes sexuels pour vendre leurs produits à cause de la fascination de l'Amérique pour la violence. La prolifération des pubs pour l'alcool faisant référence au sexe ferme le cercle. Les images sexuelles envoient un message inconscient de violence, ce qui les place dans le Code pour mettre en avant un produit qui génère également des messages violents dans notre inconscient.

La bière Corona, par contre, semble faire un effort pour sortir de manière constructive du Code. Les publicités pour Corona sont pleines d'images apaisantes (des plages, des palmiers, etc.), avec le slogan « À des kilomètres du quotidien ». Ici, le message est celui d'une transformation, mais pas violente.

Vendre l'alcool en vantant la qualité de sa fabrication semble totalement hors Code. Cela plaît à une petite sous-culture américaine, de la même manière que les magazines de cuisine attirent les amoureux de la table, mais n'attireront jamais un marché de masse.

## UN BON REPAS ET UNE BOUTEILLE DE VIN, ÇA VOUS TENTE ?

Les Codes pour les aliments et l'alcool nous renvoient à l'un des thèmes récurrents de la culture américaine : nous aimons les choses qui nous aident à faire notre travail et nous craignons celles qui nous en empêchent. Tous les êtres humains ont besoin de manger pour survivre. Les Américains, très concrets, prennent cela au pied de la lettre et considèrent la nourriture comme un carburant pour alimenter leur moteur qui ne s'arrête jamais. L'alcool, par opposition, dans le meilleur des cas, vous détend, au pire, vous rend ivre, mais aucune des deux options ne facilite les missions que nous nous sommes fixées. Il n'est donc pas surprenant que nous considérions l'alcool comme quelque chose de dangereux ou même de mortel.

Quant au plaisir, il ne fait même pas une rapide apparition dans ces Codes. Il est difficile de trouver du temps pour le plaisir quand on a un travail à accomplir.

# 9.

# METTEZ CET ALIBI SUR MA CARTE GOLD

## Les Codes pour le shopping et le luxe

Nous avons vu la puissance du cerveau reptilien à l'œuvre dans les Codes. Pourtant, même lorsque nous autorisons notre cerveau reptilien à nous guider, nous faisons un effort pour apaiser notre cortex. Pour cela, nous utilisons des alibis.

Les alibis fournissent des raisons « rationnelles » à ce que nous faisons. Pensez à certains des Codes dont nous avons parlé. Pour nous abstenir de relations sexuelles passagères l'alibi le plus fréquent est que nous craignons pour notre réputation ou bien nous avons peur des maladies sexuellement transmissibles, mais notre inconscient nous dit que nous avons peur de la violence. Pour grossir, le fait que nous aimons manger ou que notre emploi du temps ne nous permet pas de manger de manière saine, nous sert d'alibi mais notre inconscient sait qu'en réalité, nous nous mettons en marge.

Les alibis nous aident à être plus en phase par rapport à ce que nous faisons, grâce à eux nous avons le sentiment d'être logiques et socialement acceptables. Lorsque je présente un Code à un client, je lui présente également un alibi ou deux tirés des séances de découverte. C'est important pour lui car une campagne marketing efficace doit considérer les alibis tout en parlant du Code. Par exemple, un fabricant de produits alimentaires qui se concentrerait uniquement sur l'efficacité énergétique sans suggérer que son produit est bon, laisserait de côté un argument de vente important. Les alibis s'adressent à la « sagesse conventionnelle » d'un archétype, le genre de chose que vous avez des chances d'entendre dans les panels de consommateurs. Vous pouvez ne pas *croire* ce que disent les gens, mais ce serait une erreur de ne pas *écouter* et de ne pas l'incorporer dans votre message.

À un niveau personnel, un alibi est souvent crédible même si ce n'est pas la véritable raison pour laquelle nous agissons. Votre emploi du temps vous empêche peut-être de manger aussi sainement que vous le devriez. Ce n'est pas la raison pour laquelle vous êtes trop gros, mais après avoir pris en compte la raison pour laquelle vous vous mettez en marge, il faut néanmoins mettre au point un plan qui tienne compte de vos horaires. Les individus, comme les entreprises, doivent prendre en compte le Code et l'alibi. Toute excuse qui a une ancienneté possède un minimum de validité. À ce propos, les alibis pour le shopping et pour le luxe sont hautement instructifs.

### PARTIR EN VOYAGE DANS LE RESTE DU MONDE

Lorsque Procter & Gamble a commandé une enquête sur le shopping, les alibis ont rapidement fait surface. Pendant les séances, les femmes ont répété qu'elles achetaient des biens pour elles-mêmes et pour leurs familles et qu'elles aimaient faire du shopping parce que cela leur donnait l'opportunité de découvrir les meilleurs produits à acheter. C'est très logique et exactement ce que l'on s'attend à entendre. C'est concret. Les familles ont besoin de nourriture et de vêtements, de détergent et de papier toilette. Se rendre au supermarché est une façon efficace de comparer les produits et d'acheter les meilleurs produits.

Néanmoins, ce n'est qu'un alibi.

Durant la troisième heure des séances de découverte, lorsque les participants se sont décontractés et se sont souvenus de leur première empreinte et de leurs plus forts et plus récents souvenirs de shopping, le message derrière l'alibi a commencé à émerger.

> « Mon premier souvenir de shopping, c'est au centre commercial avec ma mère lorsque j'avais six ou sept ans et que nous avions retrouvé ma meilleure amie, Lisa. Pendant que nos mères faisaient ce qu'elles avaient à faire, Lisa et moi nous promenions derrière elles en regardant tous les trucs qu'on avait envie d'acheter et en faisant semblant d'essayer des

vêtements de grandes personnes. Après cela, nous avons demandé à nos mères de déjeuner. J'ai pleuré lorsque nous avons dû rentrer. » Une femme de trente ans.

« Rien ne sera aussi fort que la première fois où je suis allée au centre commercial avec mes amies, sans ma mère. J'avais douze ans et j'avais persuadé ma mère de me laisser prendre le bus avec deux amies de l'école. Sur place, nous avons rencontré un autre groupe de filles et nous avons passé la journée à tout regarder, même les boutiques beaucoup trop chères pour nous. Dans le centre commercial, il y avait un immense espace pour s'asseoir et nous avons passé du temps là, à parler des garçons et des gens que nous connaissions. » Une femme de vingt-sept ans.

« Après la naissance de mon premier enfant, j'ai dû rester alitée à cause de complications liées à l'accouchement. Ma sœur m'a aidée pendant quelque temps. Elle faisait toutes les courses, la cuisine et le ménage. J'appréciais ce qu'elle faisait pour moi, mais en même temps, je me sentais enfermée. Quelques jours après le départ de ma sœur, je suis allée chez l'épicier pour la première fois. J'étais un peu inquiète parce que je n'étais encore jamais allée dans un lieu public avec mon fils et je ne savais pas à quoi m'attendre. Je l'imaginais pleurant de manière incontrôlable pendant que j'essayais de choisir quelque chose pour le dîner. Mais, lorsque nous sommes arrivés au magasin, c'était un ange. Les gens n'arrêtaient pas de venir vers moi pour le regarder et j'étais fière. Nous avons fait le tour des rayons et j'ai acheté assez de nourriture pour toute la semaine.

C'était tellement agréable d'être à nouveau sur pied. » Une femme de trente-huit ans.

« Il y a quelques semaines, avec ma meilleure amie nous sommes allées dans un nouveau centre commercial qui venait juste d'ouvrir, à une heure et demie en voiture. C'était l'endroit le plus incroyable que j'avais jamais vu. Il y avait des centaines de boutiques, un énorme choix de restaurants, un multiplex de vingt salles et même une grande roue. Je croyais que j'étais morte et montée au Ciel. Nous n'arrivions pas à décider par où commencer. Tout ce que je voulais – et même plein de choses que je n'imaginais même pas désirer – était là. » Une femme de quarante-huit ans.

« Il y a quelques années, l'entreprise de mon mari nous a envoyés au milieu de nulle part, en Caroline du Nord. Nous avions une belle maison, les gens étaient adorables, mais il fallait que je fasse cent kilomètres pour trouver un magasin de chaussures correct, ce que je faisais régulièrement. Il y a six mois, il a été transféré à Philadelphie. Notre maison n'est pas aussi agréable que celle que nous avions là-bas, mais le shopping est génial. J'ai l'impression d'être revenue sur terre. » Une femme de cinquante-cinq ans.

Les détails de ces récits varient (se promener avec des amies, sortir pour la première fois avec un bébé, faire cent kilomètres pour du shopping), mais la structure de ces récits comporte un thème récurrent : « J'ai pleuré lorsque nous avons dû rentrer à la maison. » « Nous avons passé toute la journée à tout regarder, même les boutiques trop chères pour nous. » « Cela faisait du bien d'être à nouveau debout. » « Je croyais que j'étais morte et montée au ciel. » « J'ai l'impression d'être revenue sur terre. » Dans tous ces récits, il y a le sentiment que le shopping est une entreprise joyeuse, qui remonte le moral, bien au-delà des achats réalisés ou des produits regardés. Le shopping est une expérience émotionnelle, réconfortante et nécessaire.

En Amérique, le Code culturel pour le shopping est : SE RECONNECTER À LA VIE.

C'est le vrai message derrière l'alibi. Oui, nous faisons des courses parce que nous avons besoin de ces produits, mais le shopping est plus qu'un moyen de satisfaire des besoins matériels. C'est une expérience sociale. Un moyen de sortir de chez nous et d'être dans le monde. C'est quelque chose que nous pouvons faire avec des amis et ceux qu'on aime. Une façon de rencontrer une grande variété de gens et d'être au courant de ce qui est nouveau – nouveaux produits, nouveaux styles, nouvelles tendances – au-delà de ce que nous voyons à la télévision. Nous sortons faire des courses et il nous semble que le monde entier est là.

Ce Code se rattache au côté adolescent de notre culture. Nous voulons tous « sortir jouer ». Nous n'apprenons rien en restant seuls à la maison. Mais quand nous sortons dans le monde, nous découvrons ce qui est nouveau.

Le Code est présent dans une image d'une époque plus ancienne de notre culture qui a atteint une puissance mythique. Autrefois, les femmes passaient le plus clair de leur temps sur leur terre à s'occuper du foyer. Leurs excursions en ville pour acheter l'épicerie et d'autres biens étaient souvent leur seul contact avec les autres, leur seule chance de se reconnecter avec la vie.

Curieusement, alors qu'acheter est l'alibi utilisé fréquemment lorsque nous allons faire du shopping, il y a une différence de taille, dans l'esprit américain, entre faire du shopping et acheter. Acheter, c'est mener à bien une mission spécifique : acheter des produits alimentaires, de nouvelles baskets à vos enfants, trouver un livre que vous avez vu à la télévision. C'est une mission. Au contraire, faire du shopping est une expérience merveilleuse pleine de découvertes, de révélations et de surprises.

Lorsque la révolution Internet a commencé, les experts ont suggéré que le shopping en ligne allait provoquer la fin des magasins. L'« e-commerce » est certainement un segment du marché en pleine ébullition (selon un récent rapport, les dollars dépensés en ligne ont augmenté de 31 % entre juin 2004 et mai 2005), mais rares sont les commerces qui ont dû mettre la clé sous la porte parce que leurs clients sont passés à Internet. En fait, les commerces en ligne les plus puissants sont ceux qui ont aussi une présence significative dans les villes. Près de 40 % des ventes en ligne proviennent des sites de commerces traditionnels, avant toute autre catégorie de boutique. Les consommateurs aiment la synergie entre l'achat en ligne et le shopping qu'ils peuvent faire dans une boutique. Lors d'une séance d'exploration pour une importante chaîne américaine, les participants ont confirmé ceci lors de la première et de la troisième heure.

Cela a un sens. Internet remplit notre besoin d'acheter, nous permettant de réaliser l'achat en ligne ou bien de faire la recherche nécessaire pour comparer les prix et nous informer sur un produit. Par exemple, les gens apprennent énormément en ligne sur les voitures (y compris le prix que paye le concessionnaire), mais, bien qu'ils pourraient acheter via Internet, la grande majorité des Américains préfère se rendre chez un concessionnaire. Négocier et battre le vendeur grâce aux recherches effectuées fait partie de l'exercice. Même si c'est pratique et flexible, Internet ne procure pas l'expérience que les Américains attendent lorsqu'ils achètent. Ça ne nous permet pas d'aller dans le monde et de nous reconnecter avec la vie.

Alors que le shopping est une expérience magique qui nous donne l'impression d'être en vie, acheter envoie un message inconscient très différent, surtout pour les femmes. Acheter signifie la fin du shopping, le point à partir duquel vous coupez votre lien au monde pour retourner à la maison. Lorsque vous faites du shopping, vous avez accès à une myriade de choix. Lorsque vous achetez, vous réduisez vos choix à un seul. J'étais souvent surpris et frustré par le spectacle de ma femme faisant du shopping pendant trois heures, choisissant des dizaines d'articles avant de décider de ne rien acheter. Avec mes nouvelles lunettes, je comprends parfaitement ce processus. Ce qu'elle cherchait, c'était le lien social et non le produit, et lorsqu'elle décidait de ne pas acheter, son alibi pour retourner faire du shopping – elle avait toujours besoin de ce produit – existait toujours.

Les marques doivent prendre en considération cette tension entre faire du shopping et acheter. Si les femmes redoutent les files d'attente aux caisses parce qu'elles signalent la fin du shopping, les magasins ont intérêt à révolutionner l'acte d'achat. Les commerçants doivent trouver une façon de permettre à leurs clientes d'éviter la fin symbolique de leur journée de shopping, peut-être en enregistrant leur carte de crédit lorsqu'elles entrent dans la boutique. La consommatrice pourrait alors sortir avec ce qu'elle désire et des capteurs enregistreraient les achats. Si le détaillant a également une politique très souple de retour de la marchandise, l'acheteuse aura le sentiment que le shopping ne prend jamais fin. Elle peut emporter chez elle les articles qui l'intéressent sans la mélancolie de la caisse, vivre avec eux pendant quelques jours et ensuite rendre ce qu'elle ne désire pas. Ceci lui donnerait même un alibi pour retourner à la boutique. Nordstrom [1] a fondé une partie de sa réputation sur sa politique de reprise d'articles sans poser de questions. Ils ont fait du shopping une expérience ouverte.

Comme beaucoup de nos Codes, le shopping a un tout autre sens dans d'autres cultures. Procter & Gamble m'a demandé de mener la même recherche en France, et j'ai appris que le Code dans la culture française pour le shopping est : DÉCOUVRIR SA

---

1. Une chaîne de grands magasins basée à Seattle.

CULTURE. Les Français considèrent le shopping comme une expérience éducative dans laquelle les membres les plus âgés de la famille transmettent des connaissances aux générations suivantes. Une mère emmènera sa fille faire du shopping, lui montrera comment acheter, et, à travers ce processus, lui apprendra comment fonctionne sa culture. Elle expliquera pourquoi il est important d'acheter du pain, du vin et du fromage en même temps (parce qu'ils seront consommés ensemble), ou pourquoi certaines couleurs et textures vont bien ensemble et d'autres pas. Une phrase clé dans l'expérience française du shopping est : « Ça ne se fait pas », ce qui signifie « On n'est pas censé faire cela ». Les Françaises apprennent les règles de vie en faisant les courses avec leurs mères et leurs grands-mères et, dans ce processus, elles s'acculturent. Le shopping est l'école de la culture.

## PRENDRE LE TEMPS DE SE RECONNECTER

Du point de vue de l'entreprise, on est dans le Code chaque fois que l'on met en avant le shopping comme expérience joyeuse et vivifiante. Les clients doivent sentir qu'ils peuvent chercher sans aucune pression pour acheter, et avoir à leur disposition un espace pour qu'ils puissent traîner (de nombreuses librairies ont fait cela en ajoutant une cafétéria). Faire du magasin un endroit où les gens se retrouvent et se reconnectent est absolument dans le Code. Si vous mettez à disposition un endroit où les enfants (ou, souvent, les maris et les enfants) peuvent jouer, c'est encore mieux. Les enfants sont concentrés sur le présent, ce qui ne facilite pas un shopping agréable. Tout ce qui peut les distraire, dans un environnement sûr, renforcera le plaisir de la mère.

À l'exception des épiceries, mettre l'accent sur l'efficacité avec laquelle le consommateur peut effectuer ses achats est hors Code. Inciter les gens à passer rapidement dans votre magasin semble avoir du sens au niveau du cortex, mais cela va exactement à l'encontre du Code. Dire aux clients que leur expérience dans votre boutique peut être rapide c'est un peu comme vendre un massage de trente secondes ou un demi-morceau de chocolat.

Pour les consommateurs, vos nouvelles lunettes peuvent être très libératrices. Peut-être que vous vous sentez coupable de mettre autant de temps à faire votre choix. Peut-être que votre conjoint se plaint de votre indécision. Mais votre comportement est dans le Code et le sien ne l'est pas. Profitez de l'expérience. Reconnectez-vous avec la vie. N'achetez pas ce dont vous n'avez pas réellement envie. Vous aurez toujours un nouvel alibi pour retourner dans la boutique.

## CE QU'UN RÉFRIGÉRATEUR DE CINQ MILLE DOLLARS ET UN MESS D'OFFICIERS ONT EN COMMUN

Il y a de grandes chances pour que nous ayons un alibi pratique pour acheter un produit de luxe. Nous avons besoin du 4 × 4 avec toutes les options parce que les routes d'hiver sont dangereuses. Nous avons besoin d'un costume fait sur mesure parce qu'il est important de faire une bonne première impression auprès d'un client. Nous devons acheter l'énorme diamant pour notre fiancée parce que nous voulons qu'elle sache combien nous l'aimons.

La plupart de nos achats de produits de luxe sont utiles. Les Américains recherchent le luxe dans les objets qu'ils utilisent : des maisons immenses, des automobiles haut de gamme, des cuisines de professionnels, des vêtements de couturier, et ainsi de suite. Dans une culture avec un tel penchant pour l'action, nous concevons même nos vacances pour qu'elles nous retapent afin de retourner travailler.

D'autres cultures recherchent le luxe dans des objets moins fonctionnels. La culture italienne – une culture empreinte de vénération pour les grands protecteurs des arts – définit le luxe par la valeur artistique d'un objet. Une chose est luxueuse si elle est raffinée, élégante et bien dessinée. Le luxe est un produit créé par un artiste. En Italie, la demeure d'une personne riche est remplie d'œuvres d'art choisies par le propriétaire ou ses ancêtres. Un objet luxueux peut aussi bien être un collier qu'un sac à main magnifiquement dessiné. Mais ce n'est pas un réfrigérateur.

Comme nous l'avons déjà évoqué, la culture française accorde plus de valeur à la recherche du plaisir. En France, le luxe représente la liberté de ne rien faire et de posséder des choses inutiles, des objets qui sont beaux et harmonieux mais qui n'ont pas de fonction pratique. Une expression française courante dit : « Je ne peux pas vivre sans ce qui est inutile. » Par exemple, une Française achètera un foulard très cher et le portera drapé autour de ses épaules. Le foulard est inutile (ou, pour le moins, redondant) utilisé de cette manière, mais il est luxueux. Pour les Français, le luxe est ce qui procure le plus haut degré de plaisir : les mets les plus fins, les vêtements les plus élégants, les parfums les plus raffinés. Pour les Français, on vit dans le luxe si l'on peut profiter des choses que les autres – paysans, ouvriers, Américains – ne peuvent pas apprécier.

Les Anglais utilisent le luxe pour souligner leur détachement. Ils adhèrent à des clubs privés où ils montrent aux autres combien leur statut social les laisse froids. Ils jouent au polo, perdent et ensuite disent à tout le monde combien ils sont contents d'avoir perdu parce que gagner n'est pas le but. Les aristocrates sont notoirement peu attirants et dépouillés, leurs châteaux non chauffés, leurs chaises dures.

Lorsque Richemont et Boeing ont voulu trouver le Code pour le luxe, les Américains révélèrent que le luxe pouvait être de nature différente :

> « Une des première choses que j'ai dû faire après avoir obtenu mon premier emploi fut d'acheter une voiture. Je venais d'arriver en ville et je n'avais aucun moyen de me déplacer. À l'époque, mon budget était serré et je ne pouvais absolument pas m'offrir quelque chose de sophistiqué, mais j'ai quand même essayé deux ou trois modèles haut de gamme. J'ai finalement choisi une Honda, mais il y a un an, j'ai eu une promotion qui m'a fait changer de statut. Une des premières choses que j'ai faites fut d'acheter

la Jaguar que j'avais toujours désirée. La sensation dans cette voiture est incroyable et je sais que je le mérite. » Un homme de quarante et un ans.

« Mon souvenir le plus fort se rapportant au luxe est le voyage que j'ai fait avec mon mari en Toscane, il y a cinq ans. Nous avions tous les deux travaillé très dur au bureau et nos dernières vacances avaient été décidées au dernier moment et elles n'avaient pas été satisfaisantes. Cette fois-ci, nous avons préparé correctement notre itinéraire. Nous avons ensuite regardé notre compte en banque et décidé que nous pouvions nous l'offrir. Nous avons séjourné dans des lieux extraordinaires, et même dans un château pendant trois nuits. Nous avons fait tout ce qu'il y avait de mieux. Ce fut la première fois depuis des années que j'avais le sentiment que j'étais récompensée pour avoir travaillé autant. » Une femme de trente-six ans.

« Ma femme fait presque tous les repas à la maison, mais pour le barbecue, je suis un super chef. L'été, c'est moi qui prends les choses en mains. Lorsque notre vieux barbecue a rendu l'âme, il y a deux ans, j'ai décidé d'y aller à fond. Pourquoi gagner de l'argent si on n'en fait rien ? J'ai acheté cette merveille en acier, énorme, et ensuite j'ai décidé de refaire tout le patio. Cela nous a coûté un paquet, mais quand je fais des steaks, tout le quartier vient faire la queue pour goûter. » Un homme de cinquante-quatre ans.

« À Aruba, récemment, je me suis acheté un magnifique bracelet en or, bien large. Les prix étaient si raisonnables que j'ai décidé de me gâter. C'est le genre de choses que mon mari devrait m'acheter, sauf que je ne suis pas mariée. J'ai pensé qu'il était temps d'arrêter d'attendre et de m'offrir un bijou. » Une femme de quarante-deux ans.

« Mon plus vieux souvenir lié au luxe c'est quand je fus le premier gamin à avoir une PlayStation. Mes parents me l'avaient achetée pour récompenser mes bonnes notes. Bien sûr, un an plus tard, le monde entier en avait une, mais pendant un moment, tous mes amis devaient venir chez moi pour jouer et j'avais le sentiment d'être quelqu'un. Je me sentais particulièrement bien de savoir que je l'avais méritée. » Un homme de vingt-deux ans.

Les récits de la troisième heure abordaient tous les sujets. Pour un participant une voiture représentait le luxe, pour un autre, un élégant bijou et pour un troisième, c'était un jouet électronique à la mode. Mais les phrases clés formaient une tendance. « Simplement incroyable et je sais que je le méritais. » « Une récompense pour avoir travaillé aussi dur. » « Pourquoi gagner de l'argent si on ne peut rien en faire ? » Quelle que soit la chose que l'on achète, l'argument semble être qu'on le mérite.

Il n'y a pas de classe noble en Amérique. Nous n'avons pas de titres pour marquer notre place dans la société. Ce n'est pas et cela n'a jamais été le style américain. Mais en même temps, nous avons une éthique du travail extraordinairement forte, la passion de réussir, et, parce que nous sommes une culture adolescente, nous avons un désir puissant de montrer ce que nous avons réalisé. Puisque personne ne nous ennoblira, nous avons besoin d'indiquer notre rang dans le monde. En plus, ce rang doit venir par étapes : plus nous accomplissons de choses, plus nous devons atteindre un niveau élevé.

C'est par les articles de luxe que nous montrons notre rang dans la société. Le Code américain pour le luxe est : BARRETTES MILITAIRES.

Par bien des aspects, ce Code est une extension du Code pour l'argent. Les décorations militaires sont une forme de preuve, quelque chose que vous portez et que tout le monde respecte. Ces Codes sont très liés, non seulement parce que l'on a besoin d'argent pour acheter des produits de luxe, mais parce que lorsque les Américains décrochent la « preuve » de l'argent, c'est par le luxe qu'ils le montrent.

Mais, avec les grades militaires, il y a la notion supplémentaire de degrés : plus on possède de barrettes, plus le grade est élevé. D'ailleurs, il y a des degrés dans le luxe, de la même manière qu'il y a des grades dans l'armée. Une Lexus est une voiture de luxe, tout comme une Maserati ou une Bentley. Donna Karan conçoit des vêtements de luxe, mais Dolce & Gabbana et Escada sont encore plus haut de gamme. Une villa sur la mer en Floride annonce que vous êtes arrivé à un certain niveau ; une propriété à Greenwich, dans le Connecticut, en suggère un autre, tout comme un penthouse sur la 5e Avenue, à Manhattan, encore un autre. Ces niveaux indiquent les « barrettes » que vous avez obtenues par vos exploits.

Quel est le but de ces barrettes ? Surtout de la reconnaissance. Mais non la reconnaissance de l'argent que vous avez déjà, mais celle de vos qualités en tant que personne. À un niveau inconscient, les

Américains croient que les gens bons réussissent, que le succès vous est donné par Dieu. Votre succès montre que Dieu vous aime.

Lorsque vous atteignez ce niveau d'approbation du Créateur, vous voulez être traité en conséquence. Le service est un élément important du luxe. Là encore, il y a un lien avec l'armée. Un officier a certains privilèges que le soldat de rang inférieur n'a pas. Il a accès au mess des officiers ; les gens le saluent lorsqu'il passe. De la même façon, lorsque nous atteignons un rang élevé dans la vie civile, nous nous attendons à avoir certains privilèges et services qui ne sont pas accessibles à l'Américain moyen. Nous voulons un assistant pour nous aider à faire nos courses chez Saks. Une carte noire American Express, une équipe en smoking pour s'occuper de nous à la meilleure table dans les meilleurs restaurants. Nous voulons éviter les files d'attente dans les aéroports. En Amérique, le service est un luxe et nous sommes prêts à payer des prix exorbitants pour cela. Nous dépensons 400 dollars pour un repas chez Alain Ducasse parce que nous sommes traités de façon luxueuse. Nous dépensons 4 000 dollars pour un billet première classe de New York à Los Angeles pour la qualité du service.

Comme dans l'armée, il y a différents niveaux dans le luxe, mais aussi dans différentes « branches ». Et la « branche » que nous choisissons en dit long sur la manière dont nous voulons que le monde nous perçoive. Une Volvo, un safari, un don important à une fondation pour l'art envoient un message très différent de celui que donne un 4 × 4, une semaine dans un camp de stock car et un chèque à la National Rifle Association.

Pour réussir dans le marketing du luxe aux États-Unis, une entreprise doit faire savoir de manière très claire qu'elle vend des « barrettes ». Le positionnement est extrêmement important. Un produit de luxe a de la valeur seulement si les autres l'identifient comme tel. Rolex a fait un remarquable travail pour établir ses produits comme l'étalon de la montre de luxe en Amérique, avec un design distinctif et ils continuent leurs efforts pour montrer à quel point une Rolex a de la valeur. De la même manière, Ralph Lauren a réussi un travail de maître pour positionner Polo. Le logo du joueur de polo établit un lien avec tout, de la position sociale remontant au Moyen Âge (lorsque l'aristocratie était à cheval et que tout le monde marchait) au mythe du cow-boy américain. Les consommateurs peuvent le porter comme un blason annonçant qu'ils ont les moyens de posséder un tel objet de luxe, ce que comprennent la plupart des Américains.

La notion de progression est également très importante pour le marketing de luxe aux États-Unis. Les Américains associent santé et mouvement. On n'a jamais fini de grandir, et aussi longtemps que l'on est actif on est en transition vers le succès suivant. Si nous atteignons un certain niveau de succès, nous disons rarement « Je suis arrivé ; j'ai fini ». La plupart d'entre nous pensent immédiatement à avoir encore plus de succès. Nous considérons nos objets de luxe de la même manière. Maintenant que nous pouvons nous offrir la Lexus, nous voulons être en position de nous offrir la Bentley. Une entreprise qui propose des degrés de luxe a la chance de conserver ses clients au fur et à mesure de leur progression. Tiffany fait cela superbement. En Amérique, la petite boîte bleue est synonyme de luxe, mais Tiffany propose différentes gammes de prix. Vous pouvez acheter des boucles d'oreille au design reconnaissable pour à peine 200 dollars, un bracelet en diamant et or pour un peu plus de 6 000 dollars. Pour un peu plus de 2 millions de dollars, vous aurez la bague en diamant et émeraude. En offrant aux clients l'opportunité de goûter au luxe Tiffany à un prix relativement abordable tout en leur montrant en même temps les niveaux supérieurs, l'entreprise établit un lien à vie.

Pour vendre du luxe en Amérique il est absolument nécessaire de compléter votre produit avec un service de luxe. Traiter vos meilleurs clients comme s'ils étaient membres d'un « club d'officiers » est parfaitement dans le Code. Une fois que l'Américain a gagné ses barrettes, il faut le traiter en conséquence. Il veut être reconnu comme quelqu'un d'impliqué dans l'accomplissement de tâches importantes, et il veut que vous lui montriez que son temps et sa présence ont de la valeur. La chaîne d'hôtels Ritz-Carlton a été l'une des premières à faire un très bon travail à ce niveau, avec, pour ses clients du Club Level, une équipe de concierges spécialement dédiés, un service haut de gamme pour les repas et un salon privé.

En plus, on doit toujours se souvenir que nous avons besoin de nos alibis. Notre inconscient culturel nous conduira à répondre positivement au luxe qui nous procure des « barrettes », mais notre cortex doit aussi être satisfait. Nous achetons une cuisinière professionnelle à 4 000 dollars, mais seulement si on est convaincu qu'elle rendra notre cuisine plus fonctionnelle. Nous dépensons 200 dollars de plus pour le spa dans notre hôtel quatre étoiles, mais seulement si on peut nous convaincre que nous en sortirons revigorés et prêts à reprendre notre mission.

Certaines industries ont, avec habileté, lié les alibis aux objets de luxe. Les avions privés sont une façon de voyager totalement luxueuse, mais les sociétés de *leasing* comprennent que nous avons besoin d'un alibi. Par conséquent, elles soulignent que les businessmen surchargés économisent en prenant un avion privé, parce que l'environnement créé par la société de location dans ces avions permet à ces responsables de continuer leur travail.

Plus haut, nous avons vu que l'industrie diamantaire vendait du romantisme d'un côté, et de l'autre « la valeur de l'investissement ». C'est une tentative d'alibi. L'idée est que vous serez plus prêt à acheter une bague de fiançailles à 10 000 dollars si vous pouvez vous dire qu'elle prendra de la valeur.

## AUSSI LONGTEMPS QUE J'AI UN ALIBI, TOUT VA BIEN

Les alibis nous aident à donner un sens au message que les Codes nous envoient. Peu d'entre nous sont suffisamment conscients de nos motivations pour comprendre que notre excitation avant l'expédition de shopping vient de la reconnexion qu'elle nous procurera. Ce que nous nous disons, au lieu de cela, c'est que nous avons besoin de ces choses – des chaussures pour un événement à venir, des vêtements pour la nouvelle année scolaire des gamins, une nouvelle cuisinière avant que l'ancienne cesse de fonctionner, une voiture parce que le *leasing* de l'autre se termine. De la même manière, peu d'entre nous reconnaissent que nous achetons des « barrettes » lorsque nous achetons des objets de luxe. Au lieu de cela, la voiture servira pour s'occuper des clients ; la piscine intérieure pour les enfants et leurs amis.

Les alibis marchent parce qu'ils semblent légitimes. Ils nous donnent une bonne raison de faire ce que nous voulons de toute façon faire. Nous pouvons nous reconnecter à la vie, exhiber nos barrettes. Et notre cortex ne nous fera aucun reproche.

# 10.

# POUR QUI CES PARVENUS SE PRENNENT-ILS ?

## Le Code pour l'Amérique dans les autres cultures

Les cultures différentes regardent les États-Unis à travers leurs propres Codes culturels. Comprendre le Code américain a un impact énorme sur la façon dont un produit, un concept ou même une politique étrangère y seront reçus. En pensant au marketing, un groupe d'entreprises américaines – dont DuPont, Boeing, Procter&Gamble – ont cherché à découvrir le Code de l'Amérique en France, en Allemagne et en Angleterre.

L'Amérique a toujours eu ses détracteurs. Pourtant, leur nombre et le degré de menaces semblent être montés de plusieurs crans dans ces premières années du XXI^e^ siècle. Selon un sondage du Pew Research Center, publié en juin 2005, l'opinion défavorable au sujet des États-Unis allait de 29 % en Inde à 79 % en Jordanie. La majorité des personnes sondées chez la plupart de nos alliés avaient une opinion défavorable de l'Amérique, dont 57 % en France, 59 % en Allemagne et en Espagne. Les résultats dans les pays à forte culture musulmane, comme en Jordanie, n'étaient pas surprenants : 77 % en Turquie et au Pakistan, 58 % au Liban avaient une opinion défavorable. Les taux étaient particulièrement bas quand on questionnait les participants sur la politique extérieure des États-Unis et sur la réélection de George W. Bush. Lorsqu'on leur demanda si la politique étrangère américaine prenait en compte les intérêts des autres, seulement 38 % ont répondu oui en Allemagne et 32 % en Grande-Bretagne, tandis que la Pologne (13 %), la France (18 %), l'Espagne (19 %) et la Russie (21 %) étaient encore plus négatifs. En même temps, la majorité des personnes interrogées en Espagne (60 %), en Grande-Bretagne (62 %), en France (74 %) et en Allemagne (77 %) dirent avoir une opinion moins favorable des États-Unis après la réélection de George W. Bush.

Les différends entre l'Amérique et la France, ces dernières années, ont été abondamment commentés. Le fort sentiment d'anti-américanisme en France (et en particulier l'hostilité envers George Bush) provient directement du conflit entre les Codes culturels des deux pays. George W. Bush est le prototype du leader américain. Il est agressif, avec un côté adolescent marqué ; il manque de culture, c'est un homme d'action qui tire d'abord et pose des questions ensuite. Il ne se préoccupe pas de réussir du premier coup. Les Français sont des penseurs : ils croient que l'intellect et la raison fournissent les réponses aux grandes questions. En d'autres termes, George W. Bush est l'antithèse de tout ce qui guide les Français à un niveau inconscient. Ce n'est pas un secret que les relations franco-américaines sont à un niveau historiquement le plus bas. Voici ce que les Français avaient à dire lors de nos séances exploratoires :

> « Je continue de penser que les Américains vont bientôt échouer en grand. Comment réussir lorsque vous en savez si peu sur la manière dont fonctionne le monde ? Pourtant, mystérieusement, ils finissent toujours par arriver en tête. C'est un mystère complet pour moi. » Un Français de quarante ans.

> « La première chose à laquelle je pense lorsque je songe aux Américains, c'est l'atterrissage sur la lune. Ce fut une chose vraiment remarquable à regarder. Penser qu'ils avaient conquis les frontières de notre planète et qu'ils avaient atterri sur une autre planète était tout bonnement incroyable. Lorsque j'y pense, et que je vois toutes les choses stupides qu'ils font maintenant, j'ai du mal à comprendre. » Un Français de soixante-quatre ans.

> « J'ai passé un été en Californie lorsque j'étais étudiante. Je suis allée à DisneyLand et à Universal Hollywood, puis dans les studios et j'ai fait le tour des villas des stars. Tout était tellement irréel, mais je dois dire que c'était très amusant. Pour moi, c'est cela l'Amérique. » Une Française de vingt-trois ans.

> « Quand je pense à l'Amérique, je pense à *La Guerre des Étoiles*, à *Superman*, aux bandes dessi-

nées et à *Star Trek*. La nourriture est horrible, mais il faut leur reconnaître beaucoup d'imagination. »
Un Français de vingt-sept ans.

En France, les participants étaient convaincus qu'ils auraient dû éclairer le monde avec leurs idées, mais que, dans la réalité, c'était les Américains qui le faisaient. Ils ne comprenaient absolument pas comment cela était possible. De façon constante, les participants évoquèrent leur conviction que nous étions inaptes à guider le monde, mais à regret ils reconnurent notre capacité à tirer les leçons de nos erreurs et à être plus forts. Lorsqu'on leur demandait quelle était leur première impression de l'Amérique, beaucoup mentionnèrent les premiers pas sur la lune, tandis que d'autres parlèrent de Hollywood, de rêves, de jouets, d'imagination. Ils nous trouvaient infantiles, naïfs, mais en même temps puissants. Lorsque les Français parlaient des Américains, c'est presque comme s'ils décrivaient une race étrangère.

En France, le Code pour l'Amérique est : VOYAGEURS DE L'ESPACE.

La connaissance du Code aide à mettre les choses en perspective. Que les Français voient les Américains comme des voyageurs intergalactiques explique pourquoi ils ont le sentiment qu'ils ne peuvent les comprendre ; cela explique aussi pourquoi ils pensent que leurs motivations sont différentes des leurs. En plus, cela permet de comprendre le fait qu'ils les considèrent comme des usurpateurs. Dans leur esprit, ils ont atterri dans leur monde et ils sont en train d'essayer de leur imposer leur culture et leurs valeurs. Et parce que ce sont des « voyageurs », ils n'ont pas le même attachement au bien-être de la planète qu'eux. Comment pourraient-ils vraiment savoir ce qui est important pour l'humanité puisqu'ils ne sont pas totalement humains ?

En Allemagne, les participants parlèrent des Américains avec une certaine fascination :

> « Ils font les choses de manière tellement peu méthodique. C'est presque comme s'ils étaient toujours en train d'improviser, comme s'ils faisaient la première chose qui leur passe par la tête. Malgré cela, je ne comprends pas, cela marche quand même. Ils accomplissent des choses. Ils ont une incroyable capacité à faire ce qu'il faut. » Un Allemand de trente-six ans.

> « J'ai vu beaucoup de soldats américains, en grandissant. Les gens avec des armes me font peur, surtout s'ils ne sont pas de mon pays. Pourtant, ils avaient l'air très sympa, notamment avec les enfants. Ils plaisantaient avec eux et leur apprenaient à se comporter comme de bons soldats. Je trouvais cela touchant. » Une Allemande de cinquante-sept ans.

> « Les Américains sont des cow-boys. Ce sont tous des cow-boys. Ils portent peut-être un costume, mais ils se comportent comme des cow-boys. Ils ne sont pas aussi intelligents et disciplinés que nous, mais ils ont une capacité impressionnante à réaliser ce qu'ils ont décidé. » Un Allemand de cinquante ans.

> « Je n'aime pas l'admettre, mais je ne sais pas où nous serions sans les Américains. Ils nous ont

sauvés de nous-mêmes au plus noir de notre histoire. » Une Allemande de quarante-deux ans.

Comme les Français, les Allemands les trouvent différents d'eux, mais ils se concentrent plus sur ce qu'ils ont accompli. Ils reconnaissent que les Américains sont des leaders et la principale puissance dans le monde, mais avec un sentiment d'incrédulité. Les Allemands se considèrent comme supérieurs par l'éducation, l'ingénierie et leur sens de l'ordre. Ils estiment que les Américains sont primitifs, mais ils comprennent que les États-Unis on été capables d'accomplir des choses au niveau mondial qu'eux-mêmes n'ont pas accomplies – et cela les rend perplexes. Un thème qui revient régulièrement dans les séances d'exploration est celui de notre sympathie pour les enfants. L'attitude des États-Unis envers ses enfants et les enfants du monde touche une corde sensible chez les Allemands. Ils nous voient comme des libérateurs et des cow-boys bienveillants.

Le Code pour les États-Unis, en Allemagne, est : JOHN WAYNE.

Le Code aide à comprendre pourquoi les relations américano-allemandes furent aussi bonnes aussi longtemps (en 2000, 78 % des Allemands interrogés avaient une opinion favorable des États-Unis) et pourquoi elles sont tendues aujourd'hui. L'image de John Wayne est celle de l'étranger fort, amical qui permet de sauver une ville de ses problèmes et qui, ensuite, poursuit sa route sans attendre remerciements ou rémunération. John Wayne est un dur. Il est la Loi. Pourtant, il ne tire jamais le premier. Dans ce contexte, nos actions en Irak sont hors Code pour les Allemands parce qu'ils estiment que nous avons « tiré les premiers », que nous avons répondu militairement avant d'avoir épuisé toutes les solutions diplomatiques.

Les Anglais ont leur propre façon de nous voir :

« J'ai plusieurs amis américains. Je les trouve très amusants. Lorsque je vais en Amérique, je sais que je vais trop manger, trop boire, me coucher trop tard et parler deux fois plus fort que d'habitude. Je ne pourrais pas vivre de cette façon tout le temps, mais c'est TRÈS AMUSANT. » Un Anglais de trente-deux ans.

« En Amérique, tout est grand. Le pays est grand, les gens sont grands, leurs ambitions sont *très* grandes, et leur appétit pour tout est grand. Je n'y suis jamais allée, mais j'imagine tout le monde vivant dans des maisons immenses et conduisant des voitures énormes. » Une Anglaise de dix-huit ans.

« Il est facile de considérer les Américains un peu en dessous de nous. Leur accent est ridicule (et ils s'obstinent à parler si fort), on dirait des enfants excités, ils considèrent que tout ce qui a plus d'une décennie appartient à “l'histoire”, et ils sont tous trop gros. Mais, s'ils nous sont inférieurs, pourquoi ont-ils accompli tant de choses ? On dirait qu'ils comprennent quelque chose qui nous échappe. » Un Anglais de cinquante-cinq ans.

« Je sais toujours quand un Américain est dans ma boutique. Ils n'ont même pas besoin d'ouvrir la bouche pour que je le sache. C'est dans leurs yeux. Les Américains veulent tout. » Une Anglaise de quarante-huit ans.

Les participants anglais nous voyaient grands, bruyants, puissants, vulgaires, extrêmes et déterminés à gagner à tout prix. Ils parlèrent de notre manque de retenue, de notre manque de tradition, de notre absence de système de classes, tout en admirant notre confiance en nous-mêmes, notre passion, nos succès historiques, et notre attitude débrouillarde. Lorsqu'on leur demanda leur première impression des États-Unis, les participants évoquèrent régulièrement l'immensité : la taille du pays, la taille de ses symboles (la Statue de la Liberté, Mount Rushmore, l'Empire State Building), et son influence très importante dans le monde. En parlant des États-Unis, la notion de quantité est revenue régulièrement.

Le Code des Anglais pour les États-Unis est : ABONDANCE SANS COMPLEXE.

Ceci explique pourquoi la majorité des Anglais interrogés (55 %) a une opinion favorable des États-Unis (bien que le pourcentage ait connu une chute précipitée depuis les 83 % en 2000). Les Anglais s'attendent à ce que nous recherchions l'abondance en toute chose, à ce que nous soyons extrêmes et que nous essayions de gagner à tout prix. En conséquence, notre politique étrangère actuelle est parfaitement dans le Code, selon eux.

FAIRE UN MARIAGE PROFITABLE

Maintenant que les entreprises impliquées dans cette étude possédaient les Codes français, allemand et anglais pour les États-Unis, il était essentiel qu'elles ne cherchent pas à fuir leur « américanitude » dans les campagnes marketing en direction de ces cultures. Si les Anglais associent les Américains à l'abondance, il est important de mettre ceci en avant. Les produits doivent arriver en « tailles super XXL ». Si les Allemands attendent John Wayne, les produits doivent aider à « libérer » sans demander à qui que ce soit de changer ce qu'ils sont (souvenez-vous de la campagne marketing pour la Jeep Wrangler qui bâtissait sur le Code de la voiture « libératrice »). Si les Français nous voient comme des voyageurs de l'espace, les produits que nous leur apportons doivent avoir une certaine qualité extraterrestre : donner le sentiment d'être nouveaux et inhabituels.

Mais connaître les Codes des étrangers pour l'Amérique ne garantit pas le succès dans ces marchés. Toute stratégie marketing dans une culture étrangère doit aussi savoir comment cette culture se voit elle-même.

Le Code des Français pour la France est : IDÉE. Élevés avec les récits des grands philosophes et des penseurs, les petits Français impriment la valeur des idées au-dessus de tout, et le raffinement de l'esprit comme but le plus élevé.

Le Code des Anglais pour l'Angleterre est : CLASSE. Les Anglais ont le sentiment très fort qu'ils sont une couche sociale plus haute que les autres peuples. Ceci vient de la longue histoire de leadership mondial de l'Angleterre (« le soleil ne se couche jamais sur l'empire britannique ») et du message transmis d'une génération à l'autre qu'être Anglais est un privilège spécial que l'on reçoit à la naissance.

Le Code des Allemands pour l'Allemagne est illustré par l'histoire suivante :

Lego, le fabricant de jouets danois, a tout de suite rencontré le succès sur le marché allemand avec ses cubes qui s'assemblent, alors que les ventes stagnaient aux États-Unis. Pourquoi ?

Le management de l'entreprise croyait que l'une des raisons principales de leur succès tenait à la qualité des instructions fournies dans chaque boîte, aidant les enfants à construire un objet spécifique (une voiture, par exemple, ou un vaisseau spatial). Les notices étaient révolutionnaires : précises, en couleur, d'une clarté rafraîchissante. Elles faisaient des assemblages avec les Legos non seulement quelque chose de simple, mais, d'une certaine manière, de magique. Si l'on suivait les instructions, les petites pièces de plastique se transformaient méthodiquement en quelque chose de plus noble.

Les petits Américains s'en moquaient totalement. Ils déchiraient les boîtes, regardaient rapidement les instructions (et encore, pas forcément), et se lançaient immédiatement dans leur propre projet. Ils semblaient beaucoup s'amuser, mais ils construisaient aussi bien un château fort qu'une automobile pour laquelle la boîte était conçue. Et, quand ils avaient terminé, ils détruisaient leur château et recommençaient de zéro.

À la grande déception de l'entreprise, une boîte de Lego pouvait faire des années.

Au contraire, en Allemagne, la stratégie de Lego marcha exactement comme prévu. Les petits Allemands ouvraient leur boîte, cherchaient le mode d'emploi, le lisaient attentivement, et ensuite organisaient les pièces par couleur. Ils se mettaient à assembler en comparant leur construction aux illustrations de la brochure. Lorsqu'ils avaient fini, ils avaient une réplique exacte du produit montré sur la boîte. Ils le montraient à maman qui approuvait en applaudissant et mettait le modèle sur une étagère. Les enfants avaient maintenant besoin d'une nouvelle boîte.

Sans le savoir, Lego avait tapé dans le Code culturel de l'Allemagne : ORDRE. Depuis de nombreuses générations, les Allemands ont perfectionné la bureaucratie afin de limiter le chaos venu dans leur pays, vague après vague. Les Allemands enregistrent tôt ce code très puissant. Cette empreinte fait que les enfants lisent attentivement les instructions, et le Code les empêche de détruire immédiatement leur belle construction pour recommencer. Les instructions de Lego, élégantes, en couleur, avaient touché le Code allemand garantissant ainsi le renouvellement des ventes.

Avec les deux Codes – celui pour sa propre culture et celui pour la culture étrangère – une entreprise est équipée pour réussir.

Il y a plusieurs années, AT&T a essayé d'obtenir le contrat du téléphone en France. Leur principal concurrent était l'entreprise suédoise Ericsson. La présentation d'AT&T s'est concentrée sur sa taille et sa puissance et sur la manière dont il allait sauver le téléphone en France. Il n'a pas tenu compte du Code français pour les États-Unis (en offrant quelque chose de nouveau ou d'inhabituel) ni du Code des Français pour la France (en reconnaissant qu'ils mettraient à profit les idées que les Français avaient déjà mises en place). Les gens d'Ericsson, quant à eux, commencèrent par invoquer le Code français. Ils remercièrent les Français de leur avoir donné leur monarchie (dans le tourbillon napoléonien qui avait donné le pays au jeune général Jean Bernadotte, qui devint le roi Charles XIV et mena le pays à la modernité). En commençant de cette façon, Ericsson prouvait une bonne compréhension de la culture française et montrait ainsi que l'entreprise la respectait et pouvait travailler avec elle. Le contrat leur fut accordé.

Chrysler (qui est encore perçu comme une entreprise américaine parce que toute la recherche et le développement pour les produits Chrysler viennent de Detroit) fit un bien meilleur travail de compréhension des Codes lors de l'introduction en France de la PT Cruiser. Chrysler remplissait le rôle des Américains voyageurs de l'espace en lançant sur les routes françaises une voiture qui ne ressemblait à aucune autre. Ensuite, Chrysler a lancé la voiture d'une manière complètement dans le Code pour les Français. Sa campagne de publicité évoquait les cent cinquante nouvelles idées dans la création de la PT Cruiser, avec des campagnes différentes pour présenter ces idées. Bien évidemment, les Français réagirent poisitivement à cette approche. Bien que la PT

Cruiser coûte beaucoup plus cher en France qu'en Amérique, elle y est extrêmement populaire.

La leçon est qu'il n'est pas possible pour une entreprise de réussir dans le marché mondial avec un seul message global. Comment une seule idée pourrait-elle prendre en compte les concepts idée/voyageurs de l'espace, ordre/John Wayne et classe/abondance sans honte en même temps ? Une stratégie mondiale exige du sur-mesure pour chaque culture, bien qu'il soit toujours important que la stratégie célèbre « l'américanitude ».

Lorsque Jeep a relancé sa Wrangler en France et en Allemagne en utilisant le concept de « libérateur », les ventes ont progressé de manière significative. L'approche a marché parce qu'elle était dans le Code pour la manière dont ces pays se voyaient eux-mêmes et nous voyaient. En France, les publicités mirent en avant le style unique de la Wrangler pour jouer sur la fascination du pays pour les idées. En plus, les qualités tout-terrain de la Wrangler suggéraient subtilement la notion de voyage de l'espace. En Allemagne, mettre l'accent dans la campagne sur la place de Jeep dans l'Histoire était dans le Code et rappelait l'ordre rétabli après la Seconde Guerre et le rôle à la John Wayne que joua la Jeep dans la libération de l'Allemagne du Troisième Reich.

En Angleterre, la campagne marketing devait être très différente. Les Anglais n'avaient pas connu l'expérience de la libération par les soldats américains. En plus, leur Land Rover dominait les ventes dans cette catégorie. Comprenant les Codes du pays, la marque a décidé de pousser la Wrangler en Angleterre, mais de positionner le haut de gamme Grand Cherokee comme Jeep de choix. La campagne montrait un couple avec leur Grand Cherokee chargée, quittant leur maison de Londres pour leur propriété à la campagne. La présentation des nombreuses options haut de gamme du modèle était une illustration de l'abondance sans complexe, tandis que la belle maison à Londres et la vaste propriété campagnarde soulignaient la classe. La campagne était parfaitement dans le Code et elle aida Jeep à prendre pied en Angleterre.

## VIVRE DANS LE CODE

Les Américains et l'Amérique envoient des messages spécifiques aux différentes cultures à travers le monde. Les gens dans ces cultures voient parfois dans ces messages quelque chose dont ils ont envie, quelque chose qui est parfois absent de leur vie. Lorsqu'une personne voit quelque chose dans une culture étrangère qui semble en accord avec sa vision du monde, aller vers cette culture a du sens.

Je suis né en France, mais comme tout le monde, je n'ai pas eu le choix. Même très jeune, je savais que certaines parties de la culture française ne me convenaient pas parfaitement. Les Français sont extrêmement critiques, ils sont pessimistes, ils sont jaloux de ce que possèdent les autres, et ils n'accordent pas beaucoup de valeur au succès personnel. Lorsque je disais que je voulais construire une entreprise fondée sur de nouvelles idées, ils ricanaient et me traitaient de mégalomane.

La culture américaine semblait offrir beaucoup de choses que je désirais dans la vie, en particulier construire une carrière. Lorsque j'ai décidé d'émigrer, François Mitterrand était président et il avait gelé les biens des Français qui quittaient le pays. Lorsque je suis arrivé à New York, je n'avais pas d'argent. Je n'avais pas non plus d'endroit pour vivre et mon anglais était pauvre. J'étais venu aux États-Unis pour travailler sur les archétypes et peu de gens savaient de quoi je parlais.

Je connaissais quelques immigrés français à New York et je suis allé les voir dès que je suis arrivé. Ils m'accueillirent, m'offrirent un endroit où me poser, un peu d'argent, et l'utilisation d'une voiture. Lorsque je leur ai expliqué ce que je voulais faire, ils m'encouragèrent et me dirent qu'ils étaient certains que j'allais réussir. J'étais heureux d'entendre ces paroles, mais la première pensée qui me vint à l'esprit fut : « Vous êtes sûrs d'être français ? » Ces gens qui avaient vécu aux États-Unis quelques années étaient complètement différents des Français que je connaissais en France. Ils étaient optimistes, généreux et enthousiastes. En d'autres termes, ils étaient Américains. Oui, ils avaient embrassé la culture américaine, mais en plus, comme moi, ils avaient déjà certaines de ses caractéristiques. Ils étaient venus ici parce qu'ils savaient qu'ils seraient entourés de gens qui pensaient comme eux. Les Français paresseux et manquant d'imagination restaient en Europe. Ceux qui avaient des tripes et de la détermination venaient ici. Ces gens trouvaient un pays en allant autre part. Leur patrie était un accident de naissance. Ils trouvaient un endroit pour faire leur vie en venant aux États-Unis.

Les États-Unis font un travail exemplaire pour embrasser et assimiler les immigrants, mais les Américains peuvent, eux aussi, trouver leur « vraie » patrie ailleurs. L'actrice Gwyneth Paltrow, qui vit maintenant en Angleterre avec sa rock star de mari, a récemment été citée affirmant : « J'ai toujours été attirée par l'Europe. L'Amérique est un pays tellement jeune, avec une arrogance d'adolescente. » De toute évidence, la culture américaine ne résonne pas chez Gwyneth Paltrow comme la culture anglaise.

Pour les entreprises, la clé de l'immigration réussie (ici ou ailleurs) est de trouver la connexion avec le Code de la culture locale. Un intellectuel de n'importe quelle culture trouvera la France stimulante. Quelqu'un qui a besoin d'ordre trouvera une résonance avec l'Allemagne.

Pour une entreprise s'introduisant sur un marché étranger, ou pour un individu cherchant l'endroit idéal où vivre, le plus important est de se brancher sur le Code.

## 11.

## PARTAGE DE LA MER ROUGE EN OPTION

### Le Code pour la présidence américaine

En 1789, lorsque le collège électoral choisit George Washington pour diriger les tout nouveaux États-Unis d'Amérique, les électeurs lui demandèrent comment il voulait que l'on s'adresse à lui. Ils suggérèrent les termes traditionnels : « Votre Excellence », « Votre Majesté », « Sire ». George Washington répondit qu'il souhaitait être appelé « monsieur le Président ». En faisant cela, il mettait en place une approche très américaine de la présidence. Le nouveau président n'avait aucun désir de devenir roi. Il venait d'engager son peuple dans une bataille épique – malgré un rapport de force totalement défavorable – pour se libérer d'un roi, et il se rendit compte, avec les Pères Fondateurs, que remplacer l'ancien dirigeant par une nouvelle réplique de celui-ci était en contradiction avec les principes de ce pays naissant. George Washington est donc devenu « monsieur le Président » et, ce faisant, il a eu un immense impact sur la culture américaine.

La présidence américaine avait mis la touche finale à la rébellion contre la domination anglaise. À la différence d'autres rebelles historiques, nous n'avons pas assassiné le roi pour obtenir un bouleversement. Nous l'avons répudié avec tout ce que la monarchie représentait, et nous avons combattu pour nous en libérer. En élisant George Washington, les électeurs ont choisi le chef de cette rébellion. Il n'était pas le roi, mais le rebelle en chef. Ceci s'accordait bien avec une culture au stade infantile (les jeunes enfants cherchent toujours à tester les limites et à apprendre par eux-mêmes comment fonctionne le monde), et correspond à notre culture adolescente actuelle. Comme tous les adolescents, nous n'avons aucune patience avec les figures paternelles, mais nous sommes disposés à suivre un rebelle qui mène la charge. Plusieurs des présidents les plus talentueux du XXe siècle avaient un côté rebelle très marqué. Bill Clinton était étranger au monde de Washington, avec des tendances adolescentes marquées. Ronald Reagan nous a mis au défi de recréer la grandeur des États-Unis en menant une rébellion pour restaurer la tradition. Franklin Roosevelt s'est rebellé contre la Grande Dépression avec le cri adolescent « La seule chose que nous ayons à craindre, c'est la crainte elle-même ».

C'est une idée très forte, qui n'existait pas avant la création des États-Unis. Notre leader est celui qui mène la rébellion. C'est essentiel dans une culture dans laquelle la santé est synonyme de mouvement. Nous changeons, avançons, réinventons sans cesse, et nous voulons un président capable de diriger ce mouvement. Le président doit pouvoir identifier les problèmes, avoir des idées pour y remédier et, ensuite, se rebeller. La nature de la rébellion ne cesse de changer, et nous avons tendance à choisir des présidents qui comprennent cela. Lors des élections de 2000 et de 2004, George W. Bush a conduit la rébellion vers la droite conservatrice. Peut-être le nouveau président se rebellera-t-il en menant la charge vers le centre.

On ne peut être un rebelle efficace si l'on ne peut exprimer clairement, en mots ou en actions, ce en quoi l'on croit. Nous attendons des présidents qu'ils sachent dans quelle direction le pays doit aller et comment nous y emmener. Tout le monde se souvient que le premier George Bush s'est moqué du concept de vision politique, ce qui lui a coûté cher lors de l'élection de 1992. George Washington comprenait ce concept de vision, tout comme Thomas Jefferson, Abraham Lincoln et tous les autres présidents que nous considérons comme les plus grands dirigeants.

Ceci ne veut pas dire que nous élisons toujours un président qui a une « vision ». Il arrive qu'un président ne gagne pas l'élection, mais que ce soit son adversaire qui la perde. En 1976, Jimmy Carter – qui n'est pas ce qu'on peut appeler un rebelle et qui a plutôt été un visionnaire après sa présidence – a battu Gerald Ford surtout parce que les Américains avaient une très mauvaise image du parti républicain à cause du Watergate. En 2000, la vision de George Bush était à peine plus forte que celle de son père, mais il remporta les voix du Collège électoral – et non le vote populaire – parce qu'Al Gore n'avait pas réussi à inspirer le pays.

Lorsque le comité de campagne de George W. Bush m'a engagé pour découvrir le Code de la présidence américaine, j'ai commencé par étudier chacun de nos présidents et leurs adversaires, pour comprendre comment les Américains les percevaient pendant les élections. Comme pour tout le reste, le cerveau reptilien l'emporte toujours. Nous ne voulons pas que notre président pense trop. Nous voulons qu'il réagisse avec ses tripes, qu'il ait un instinct de survie très prononcé. Le candidat ne doit pas nécessairement être très reptilien, mais il doit l'être davantage que son adversaire. Lors de l'élection de 2000, Bush n'était pas particulièrement reptilien, mais son adversaire, lui, était très cortex. Lors de l'élection de 2004, la différence était encore plus marquée : John Kerry était un véritable M. Cortex. En 1996, Bill Clinton était à la fois plus reptilien *et* plus cortex que Bob Dole, comme en 1992, lorsqu'il battit George Bush. Mais ce dernier était plus reptilien que Michael Dukakis, complètement cortex. Ronald Reagan était beaucoup plus reptilien que Jimmy Carter ou Walter Mondale. Si l'on continue à remonter les élections présidentielles, on remarque que ce schéma n'est perturbé que lors de circonstances très particulières, comme après le scandale du Watergate.

Lors des séances d'exploration sur la présidence, la famille politique ne constituait pas un critère. Ce que nous voulions savoir, c'était quelle empreinte les Américains avaient de leur président :

> « Tout gamin, je me rappelle avoir regardé un discours de John F. Kennedy avec ma mère. Elle m'a dit que c'était le président des États-Unis, mais je ne savais pas vraiment ce que cela voulait dire. Je croyais qu'il n'y avait rien d'autre que les États-Unis dans le monde. Ce que j'ai remarqué à propos de JFK, c'était que lorsqu'il parlait vous prêtiez attention. À l'époque, je n'aimais que les dessins animés, pourtant j'ai regardé le discours du président Kennedy. Je ne sais plus ce qu'il a dit ce jour-là, mais je me rappelle m'être senti vraiment bien après le discours. » Un homme de trente ans.

> « Mon professeur de CM2 avait affiché une immense photo du président Reagan dans la classe. Lorsque nous récitions le serment au pays, nous étions censés regarder le drapeau, mais au lieu de ça, c'est lui que je regardais. Il avait l'air si calme, si fort. Je savais qu'il s'occupait de notre pays. » Une femme de dix-huit ans.

> « Mon premier souvenir de la présidence, c'était la voix de Franklin Roosevelt à la radio. Les affaires étaient vraiment difficiles pour ma famille – pour tout le pays, d'ailleurs –, mais je me sentais toujours mieux après avoir écouté Roosevelt. Il y avait quelque chose dans ses paroles qui me faisait penser que tout allait finir par s'arranger. » Un homme de soixante-deux ans.

> « Mon souvenir le plus fort de la présidence, c'est lorsque j'ai participé à la première campagne de Reagan, ici, dans le New Jersey. Un jour, le futur président a prononcé un discours juste avant la primaire du New Jersey et j'ai été frappée par sa vision et sa motivation. Il savait ce qui n'allait pas, et comment y remédier. Après le discours, j'ai eu la chance de lui serrer la main, sa seule présence m'a procuré un intense sentiment de puissance. » Une femme de quarante ans.

> « Lorsque j'étais à l'école élémentaire, on nous a demandé de rédiger un devoir sur un président. Jusqu'alors, je m'intéressais très peu à tout ce qui avait un rapport avec la politique. Je ne suis même pas certain que j'aurais pu dire qui était le président à l'époque. Comme je devais faire ce devoir, j'ai choisi un livre sur Abraham Lincoln. Cela a littéralement changé ma vie. Lire ce que cet homme avait fait pour le pays et la manière dont il était resté fidèle à ses convictions m'avait stupéfié. Depuis l'adolescence, je suis impliqué dans le service public au niveau local, et je sais que c'est grâce à ce que j'ai appris sur le président Lincoln. » Un homme de cinquante et un ans.

Des phrases comme « Lorsqu'il parlait vous prêtiez attention », « Je savais qu'il s'occupait de notre pays », « m'avait stupéfié », résument ce que nous attendons de nos présidents : nous voulons quelqu'un qui ait une vision développée et que nous écoutons lorsqu'il parle. Nous voulons quelqu'un de très reptilien qui puisse s'occuper de notre pays. Nous voulons quelqu'un qui puisse nous aider à nous rebeller contre nos problèmes et qui nous conduise en Terre Promise, quelqu'un qui sait ce qui ne va pas et comment y remédier.

Nous ne voulons pas une figure de père, mais une figure biblique.

Le Code culturel pour la présidence américaine est : MOÏSE.

Cela surprendra sans doute ceux qui ne sont adeptes d'aucune religion, mais si vous occultez les éléments religieux de l'histoire de Moïse, vous verrez qu'elle représente bien le Code pour la présidence américaine : un leader rebelle doté d'une vision puissante et de la volonté de préserver son peuple du danger.

Moïse a aussi fait croire à son peuple qu'il pouvait réussir l'impossible – un talent que les grands présidents ont possédé, à commencer par George Washington lui-même. Voilà un homme qui a mené à la victoire une armée mal préparée contre une armée britannique largement supérieure. Abraham Lincoln a convaincu l'Amérique qu'elle pouvait vaincre l'esclavage et la guerre civile. Franklin Roosevelt a fait croire aux Américains qu'ils pouvaient surmonter la Dépression. Ronald Reagan a communiqué une vision de grandeur quand nous étions au désespoir. Il a fallu à ces hommes plus que de la rhétorique ou de l'idéalisme pour y parvenir (en réalité, l'idéalisme est une véritable faiblesse chez un président, comme nous l'avons appris avec Jimmy Carter). Ils nous ont persuadés d'agir en nous faisant partager leur vision transcendantale. Ils nous ont montré le chemin hors du désert, vers la Terre Promise.

Mais nous n'attendons pas de nos présidents qu'ils soient des êtres idéaux touchés par la main divine, comme Moïse. Nous ne souhaitons pas que nos présidents soient parfaits, et encore moins qu'ils se considèrent comme tels. Comme nous l'avons déjà vu, les Américains ont une forte appréhension de la perfection. Culturellement, nous sommes des adolescents et nous attendons de notre président qu'il en soit un aussi. Nous attendons de lui qu'il soit en phase avec l'âme américaine et cela veut dire rarement faire les choses bien la première fois. Au contraire, nous nous attendons à ce qu'il commette des erreurs, qu'il en tire les leçons et en devienne meilleur. La présidence de Clinton fut ponctuée d'erreurs (du projet raté pour la sécurité sociale en passant par Whitewater et le scandale Monica Lewinsky). Pourtant, d'après un sondage ABC News/Washington Post, sa cote de popularité à la fin de son second mandat était plus élevée que celle de n'importe quel autre président ayant exercé après la Seconde Guerre mondiale, Ronald Reagan inclus. Si un président parvient à conserver un taux d'opinions favorables après une procédure d'*impeachment*, cela signifie manifestement que nous ne recherchons pas la perfection à tout prix.

Le Code pour la présidence américaine est cohérent avec celui des États-Unis, que nous explorerons dans le chapitre suivant. De toute évidence, une culture ne pourrait pas fonctionner efficacement si son modèle de leader était en contradiction avec son Code le plus fondamental.

Les Canadiens, par exemple, recherchent des leaders capables de préserver leur culture. Le Code pour le Canada est : PRÉSERVER. Ce Code trouve son origine dans les rudes hivers canadiens. Depuis toujours, les Canadiens utilisent ce qu'ils appellent « l'énergie hivernale », pour conserver autant d'énergie que possible. Ils ne recherchent pas des leaders ayant une vision, capables de grands progrès, ils préfèrent élire un Premier ministre qui fasse office de gardien et qui, selon les électeurs, offrira la meilleure chance à leur pays de préserver sa culture.

Les Français, au contraire, se rassemblent derrière un leader qui conteste le système avec des idées nouvelles (souvenez-vous, le Code pour la France est : IDÉE). Napoléon et de Gaulle sont considérés comme des modèles de leaders français, car ils ont fait face au système existant et l'ont changé pour qu'il serve mieux le peuple (bien qu'avec Napoléon, cette notion de « servir le peuple » ait changé avec le temps).

## VOTER DANS LE CODE

Pourquoi votons-nous comme nous le faisons ? L'idéologie et les programmes ne constituent pas nécessairement la base de notre décision. Aux États-Unis, les différences entre le conservatisme et le libéralisme – pour identifier les extrêmes américains – sont relativement minimes. Même si les hommes politiques et les têtes pensantes peignent une image caricaturale d'une Amérique nettement divisée entre les

États bleus et rouges, vous avez vu dans ce livre qu'il y avait une cohérence très forte dans la manière dont nous pensons en tant que culture. Les séances exploratoires dans l'Amérique profonde ont produit la même structure que celles organisées à New York, Chicago et Los Angeles.

Nos « différences » sont encore atténuées par le système américain des trois branches du gouvernement. Nous débattons des questions majeures comme l'avortement, les droits des homosexuels, l'énergie nucléaire et le contrôle de l'immigration pendant très longtemps avant d'avancer. Il est même probable que le débat sur chacune de ces questions se poursuive après la présidence de celui que nous avons élu à ce moment-là. De plus, même si les choses changent, le débat continue, ce qui offre des opportunités de révision ou d'autres changements. Mais certaines lois majeures n'existent qu'au niveau fédéral : par exemple le Connecticut peut autoriser les unions civiles pour les personnes d'un même sexe alors que le débat fait rage au niveau national. L'avantage de la Constitution américaine est que nos dirigeants les plus puissants ont un pouvoir limité.

Les fondements du pays ne changent pas vraiment au cours d'un mandat. Ce qui change, par contre, c'est l'esprit du pays, le sentiment d'optimisme ou bien son absence. Ceci est fortement lié à la capacité du président à se glisser dans la peau de Moïse et à nous faire croire qu'il peut nous emmener en Terre Promise. Aucun des candidats à la dernière élection présidentielle n'était dans le Code de manière significative. George W. Bush était certainement plus reptilien que John Kerry, mais son incapacité à habiter le rôle de Moïse a conduit à un sentiment de pessimisme dans le pays, et à un taux d'opinions défavorables presque historique.

Il y a le sentiment que le président est le « divertisseur en chef ». Sa tâche principale est de nous inspirer, de faire en sorte que notre moral soit au plus haut, et de nous faire avancer de manière productive. Les présidents qui correspondent de manière profonde à l'archétype américain sont les excellents « divertisseurs en chef ». C'est pour cela que les acteurs – Ronald Reagan, Arnold Schwarzenegger, Clint Eastwood et le catcheur Jesse Ventura, pour ne citer que ceux-là – sont populaires auprès des électeurs. Un président dans le Code transcende les idéologies et fait avancer le pays, ce qu'un président hors Code ne peut pas faire. Beaucoup furent en désaccord avec les programmes de Roosevelt et de Reagan, mais les deux hommes réussirent une transformation considérable des fortunes de l'Amérique (particulièrement en matière économique) au cours de leur présidence. C'est ce dont les visionnaires rebelles sont capables.

Pour les candidats eux-mêmes, le Code offre une image forte de ce que les Américains attendent de leur P-DG. Le « truc qui s'appelle vision » est critique, tout comme la capacité à faire passer un message et à inspirer les gens. Les Américains ne veulent pas de figures paternelles qui leur disent quoi faire. Ils veulent des hommes (et un jour, peut-être bientôt, des femmes) avec un programme qu'ils peuvent comprendre et suivre. En outre, ils ne veulent surtout pas d'un président qui pense trop. Sauf dans des circonstances extraordinaires, le candidat le plus reptilien gagne toujours. C'est quelque chose que John Kerry, Michael Dukakis et beaucoup d'autres n'ont pas compris.

Les cultures évoluent très lentement, ce qui signifie que les Américains continueront à chercher Moïse dans un président pendant encore longtemps. Si nous comprenons ce Code, le processus électoral pourrait être bien différent en 2008 et au-delà.

# 12.

# NE JAMAIS GRANDIR, NE JAMAIS ABANDONNER

## Le Code pour l'Amérique

Dans cet ouvrage, nous avons exploré certains des archétypes fondamentaux de la culture américaine et parlé des Codes inconscients au cœur de ceux-ci. Certains de ces messages inconscients ont été instructifs (comme les Codes pour la beauté et le shopping), certains ont constitué un avertissement (comme les Codes pour l'amour et pour l'obésité), et d'autres se sont révélés un peu inquiétants (comme le Code sur le sexe). Tous nous donnent un aperçu des raisons pour lesquelles nous agissons comme nous le faisons et nous fournissent une nouvelle paire de lunettes qui nous permet de regarder notre comportement avec un œil neuf. Le contraste avec les Codes des autres cultures nous a également appris qu'il existait des gens très différents dans le monde.

Le Code pour l'Amérique englobe tous les autres Codes de ce livre. Il concerne la façon dont nous nous voyons dans la perspective la plus large à l'intérieur de notre culture et touche les autres Codes, au moins indirectement. Comprendre le Code pour l'Amérique permet de comprendre pourquoi nous associons l'amour à une attente irréaliste, la santé au mouvement, le luxe à des décorations militaires et le président à Moïse.

Alors, comment les Américains voient-ils leur pays ?

Pour sûr, nous nous voyons comme « nouveaux ». C'est normal, bien sûr, en tant qu'adolescents. Il n'existe pas de lieux anciens en Amérique, mis à part les forêts et les canyons. Nous sommes sans cesse en train de construire et de renouveler, préférant démolir plutôt que de préserver. Même les noms que nous donnons aux lieux en sont la preuve. Vous pouvez vous rendre à New York et aller jusqu'en Nouvelle-Angleterre, en passant par New Haven, New London et Newton, en route pour le New Hampshire. Ou bien vous pourriez partir pour le Sud et voir New Hope, Newberry, Newington sur la route de La Nouvelle-Orléans.

Nous nous voyons également comme les occupants d'un immense territoire. Si vous montiez à nouveau dans votre voiture et que vous partiez vers l'Ouest, vous pourriez rouler pendant une semaine sans quitter les États-Unis. En Europe, vous pouvez traverser quatre pays en une demi-journée. Ce sens de l'échelle imprègne notre culture. Tout comme les Japonais sont les maîtres de la micro-culture parce qu'ils doivent faire tenir un grand nombre de personnes dans un petit espace, les Américains sont les maîtres de la macro-culture. Nous voulons tout en abondance, de nos voitures à nos maisons en passant par nos repas. Les Américains ne veulent pas entendre parler de réduction ou de limitation. Récemment, un constructeur automobile avait prévu une nouvelle version de l'un de ses modèles classiques, moins long de dix centimètres. Ce fut une erreur. Même si dix centimètres étaient une différence minime, en ajouter dix aurait lancé un message nettement plus fort. Nous n'apprécions jamais le message qui nous demande de nous limiter. Combien écoutent leur médecin lorsqu'il leur conseille de manger moins ? Qui rêve de vivre dans une maison plus petite ?

Un autre aspect fascinant de l'Amérique tient au fait que ces vastes espaces contiennent à la fois une grande diversité et une certaine unité. En traversant le pays, les paysages changent radicalement, de la côte rocailleuse du Maine à la beauté urbaine de New York, des vastes plaines du Midwest aux dimensions gigantesques du grand Canyon jusqu'aux immenses séquoias de la Californie du Nord. Les odeurs changent tout autant. La cabane à fruits de mer en Nouvelle-Angleterre devient le bar à barbecue en Caroline du Nord, le steakhouse du Nebraska devient le restaurant végétarien de San Francisco. Vous pourriez dormir dans un Holiday Inn chaque soir, trouver la même réception à Scranton qu'à Sacramento, et prendre un *latte* le lendemain matin au Starbucks du coin. « *E pluribus unum* » – « À partir d'une multitude, un seul » – est un slogan parfait pour cette culture.

Ce sens de la nouveauté, de la taille, de la diversité et de l'unité constitue une empreinte très forte dans l'esprit des Américains. Nos symboles sont l'aigle planant dans le ciel, une statue d'une femme accueillant les visiteurs sur nos rivages, un drapeau que l'on hisse sur les ruines d'un gratte-ciel détruit. Ces symboles constituent pour nous des images très fortes de notre identité. Lorsque j'ai organisé des séances d'exploration pour comprendre le Code pour l'Amérique, j'ai trouvé des récits de la troisième heure remplis d'images poignantes.

> « Mon souvenir le plus fort des États-Unis, c'est lorsque j'ai vu des astronautes planter un drapeau américain sur la lune. Je ne me suis jamais senti aussi fier de mon pays qu'à cet instant-là. Pour moi, cela représentait tout ce qui est grand dans notre culture, tout ce que nous devrions essayer d'accomplir. » Un homme de cinquante et un ans.

> « Mon premier souvenir des États-Unis, c'est d'être allé, enfant, au Lincoln Memorial. Nous étions en vacances à Washington depuis quelques jours et nous avions vu beaucoup de choses. Mais cette image d'Abraham Lincoln assis à cet endroit m'a fait une énorme impression. Ma mère m'a dit que Lincoln avait "libéré les esclaves". À l'époque, je n'avais aucune idée de ce que cela voulait dire, mais cela semblait être quelque chose de grand et cela signifiait beaucoup pour moi. Cela m'a donné une

idée de ce que les Américains sont capables de faire. » Un homme de vingt-six ans.

« Le club de foot de mon fils a organisé une veillée à la bougie, le vendredi qui a suivi le 11 septembre. Beaucoup d'entre nous pleuraient, y compris des enfants. Mais voir les petites flammes briller dans leurs yeux m'a redonné espoir. Ils étaient troublés, et peut-être même un peu effrayés, mais je n'ai pas pensé un seul instant qu'ils seraient intimidés. Ils étaient l'avenir de l'Amérique et ils avaient tant de choses à accomplir dans leur vie. » Une femme de quarante ans.

« Mon souvenir le plus fort des États-Unis est venu à la fin du film *La Planète des singes* (l'original, pas le remake). Lorsque j'ai vu la Statue de la Liberté enfouie dans le sable, j'ai ressenti une profonde tristesse. Mais en même temps, je me suis dit que ce qui se passait dans le film ne pourrait jamais se produire, car les Américains avaient la capacité de faire vivre leur pays. » Un homme de quarante-sept ans.

« Mon père a peut-être été la personne la plus patriotique qui ait jamais existé. Il est arrivé ici quand il était jeune et pensait avoir plus d'opportunités ici qu'il n'en aurait eu ailleurs. Chaque soir, au moment de nous coucher, il nous racontait des histoires sur l'Amérique et sur d'illustres Américains. Je m'endormais avec ces images de grandeur dansant dans ma tête. J'aimerais croire que j'ai transmis ce sentiment de patriotisme à mes enfants et à mes petits-enfants. » Une femme de soixante-deux ans.

La diversité de ces messages est frappante : de la simplicité des histoires que raconte un père au moment du coucher à l'innocence d'un enfant qui découvre Lincoln pour la première fois ; de la tristesse de voir une icône détruite à la volonté de jeunes face à la tragédie, en passant par la fierté de voir son drapeau flotter sur la Lune. Mais ce qui ne varie pas, c'est l'énergie contenue dans ces récits. Des phrases telles que « tout ce que nous devrions essayer d'accomplir », « Cela semblait grand et signifiait beaucoup pour moi », « m'a redonné l'espoir », « Le garder vivant », et « Des images de grandeur dansaient dans ma tête », suggèrent une dimension mythologique, une hyper-réalité qui vient à l'esprit lorsque les Américains pensent à leur pays.

Le Code culturel pour l'Amérique est : RÊVE.

Les rêves animent cette culture depuis toujours. Le rêve des explorateurs découvrant le Nouveau Monde. Le rêve des pionniers défrichant l'Ouest. Le rêve des Pères Fondateurs imaginant une nouvelle union. Le rêve des entrepreneurs engageant la révolution industrielle. Le rêve d'immigrants venant vers un pays d'espoir. Le rêve d'un nouveau groupe d'explorateurs se posant sur la Lune. Notre Constitution est l'expression du rêve d'une société meilleure. Nous avons créé Hollywood, Disneyland et Internet pour projeter nos rêves dans le monde. Nous sommes le produit de rêves, et des faiseurs de rêves.

Découvrir ce Code permet de situer bon nombre de Codes de ce livre dans leur contexte. Nous considérons l'amour comme une fausse aspiration car nous rêvons d'histoires qui durent toute une vie. Nous considérons la beauté comme un salut car nous rêvons de pouvoir faire une réelle différence dans la vie d'une personne. Nous considérons l'obésité comme un moyen de nous mettre à l'écart parce que nous mettons tant d'énergie à poursuivre un rêve que parfois il nous submerge. Nous considérons le mouvement comme la santé parce que nous rêvons d'une vie sans limites. Nous nous identifions à notre travail parce que nous rêvons d'apporter une contribution à la société. Nous considérons le shopping comme un moyen de nous connecter à la vie parce que nous rêvons de notre vie dans un monde plus grand. Nous voyons l'argent comme une preuve, et le luxe comme des décorations militaires parce que l'argent et le luxe rendent visibles nos rêves d'un meilleur nous-même. Nous voyons le président comme Moïse parce que nous rêvons qu'on puisse nous guider vers une Amérique encore meilleure.

Notre idée de l'abondance est un rêve : celui d'opportunités sans limites également synonyme d'Américain. Notre besoin constant de mouvement est l'expression d'un rêve dans lequel nous pouvons toujours faire plus, créer et accomplir. Même notre adolescence culturelle est un rêve : nous aimerions croire que nous serons toujours jeunes et que nous ne serons jamais obligés de grandir.

Nous avons construit notre culture sur des histoires de rêve qui – incroyable – sont vraies. Une armée mal entraînée bat l'armée la plus puissante du monde pour nous offrir la liberté. Un enfant naît esclave et devient l'un des plus grands inventeurs du monde. Deux frères se battent avec les lois de la physique et donnent des ailes aux hommes. Une femme refuse d'être renvoyée à l'arrière d'un bus et elle déclenche une révolution sociale. Une équipe de gamins venus de nulle part remporte une médaille d'or aux Jeux Olympiques contre toute probabilité. Un jeune homme développe une idée géniale dans son garage et devient la personne la plus riche de la planète.

Nous sommes devenus la culture la plus riche et la plus influente au monde parce que nous croyons au pouvoir des rêves. L'optimisme n'est pas seulement dans le Code, il est essentiel pour conserver la vitalité de notre culture. Nous faisons « l'impossible » parce que nous pensons que c'est notre destinée. En réalité, les époques dans lesquelles l'Amérique a chancelé en tant que culture sont celles où elle a permis au pessimisme de se répandre. La Grande Dépression a été la période de désespoir national la plus longue. Si elle a duré aussi longtemps, c'est parce que nous avions oublié que nous étions capables de réaliser l'impossible et de nous en sortir. Au milieu des années 1970, nous nous sommes encore laissé aller au pessimisme. Le fort taux de chômage, la crise du pétrole et les otages en Iran nous avaient conduits à avoir une image amoindrie de nous-mêmes. Dans les deux cas, ce sont les rêves qui nous ont remis sur pied – les rêves du New Deal et le rêve de la nouvelle Amérique de l'administration Reagan.

Le pessimisme est hors Code aux États-Unis, tout comme le dégoût de soi. Nous devons toujours garder à l'esprit que les erreurs nous sont utiles parce que nous en tirons des leçons et qu'en conséquence, nous devenons plus forts. Lorsque nous traversons une période de déprime, nous devons toujours nous souvenir que, historiquement, elles ont toujours été suivies de longues périodes de croissance et de prospérité. Nos amis Européens ont prédit la « fin » des États-Unis des dizaines de fois, mais la fin n'a même jamais été proche. Le « Comeback Kid » est une de nos icônes favorites. Nous adorons les gens qui échouent et se relèvent ensuite (comme avec le come-back de Bill Clinton après le scandale de l'affaire Lewinsky, et le come-back de Martha Stewart après sa peine de prison), parce qu'il s'agit d'un trait extrêmement fort de notre culture. La manière dont New York (et tout le pays) a rebondi après le 11 septembre est une source d'inspiration, parfaitement dans le Code.

Peu nombreux sont ceux qui ont eu un succès durable en vendant le pessimisme en Amérique. Parfois, Hollywood flirte avec le genre sombre des films européens, mais, de manière cohérente, ses *blockbusters* reflètent la magie et le rêve. La créativité débordante et les *happy ends* sont exactement dans le Code. Certains livres critiquant l'Amérique et sa culture ont été des best-sellers aux États-Unis, mais les livres qui durent proposent de l'espoir. Même la négativité des campagnes qui symbolisent la politique actuelle a un goût d'optimisme. Cette négativité a un fort caractère reptilien qui nous dit : « Tout ira bien si vous votez pour moi. »

## NOTRE MISSION PRINCIPALE : PRÉSERVER LE RÊVE

Rester dans le Code implique de soutenir nos rêves et nos rêveurs. Nous voulons encourager les gens à avoir de grandes idées, à prendre des risques et à tirer les leçons de leurs erreurs. Nous soutenons la réinvention de soi et le renouveau. Il est totalement dans le Code de changer de carrière, de région ou de vie à condition de croire sincèrement que ce faisant, cela nous permettra de progresser. Nous voulons que nos élus nous promettent un avenir meilleur. Nous voulons que nos stars stimulent notre imagination. Nous voulons que nos entreprises nous montrent comment leurs produits améliorent notre vie. Nous attendons de nos professeurs qu'ils nous poussent à la créativité. Nous voulons que notre Église nous donne de l'espoir et nous guide afin de mener des vies satisfaisantes. Nous voulons que les médias nous montrent les contributions positives des autres nations.

L'Amérique ne doit jamais fermer la porte à l'exploration et à la découverte. Aussi improbable que cela puisse paraître, le programme spatial est en plein dans le Code. L'expédition sur la lune est un point de repère dans l'histoire de notre culture et dans l'histoire du monde. Nous avons été le premier peuple à nous libérer de cette planète pour en découvrir une autre. Plutôt que de supprimer le programme spatial parce qu'il coûte trop cher et aboutit à peu de choses, nous devrions nous fixer des objectifs élevés. Si aller sur Mars semble presque impossible, il sera d'autant plus satisfaisant d'y parvenir. Les rêves n'ont pas de prix.

L'Amérique ne pourra jamais cesser d'accueillir des immigrants, car cela reviendrait à rejeter l'un de nos rêves les plus tenaces. Bien sûr, des lois sont nécessaires, mais le sang nouveau que permet l'immigration perpétue, pour nous tous, le rêve américain. Si quelqu'un souhaite s'installer ici et embrasser notre culture, cela l'enrichit et, en même temps, cela nous rappelle pourquoi l'Amérique est unique.

Nous ne pourrons jamais cesser de promouvoir notre philosophie auprès du reste du monde. Même si nous respectons les autres cultures et comprenons que nous ne pouvons pas en changer le Code, partager notre optimisme et nos rêves profite au reste du monde. L'isolationnisme et le protectionnisme ne sont pas seulement stupides au sein d'une économie mondiale, mais complètement hors Code. La mission de l'Amérique est de fournir des rêves à l'humanité. Non pas en imposant notre idéologie, mais en partageant notre vision dans nos films, nos livres, nos produits et nos inventions, nos actes de charité et nos efforts pour aider les nations en voie de développement.

## VOTRE ORDONNANCE EST PRÊTE

Le Code culturel procure une nouvelle liberté qui vient de la compréhension de nos actes – pourquoi nous agissons comme nous le faisons. Il vous offre une nouvelle paire de lunettes qui vous permet de regarder le monde avec un œil neuf. Nous sommes des individus et chacun d'entre nous possède un jeu complexe de motivations, de sources d'inspiration et de principes complexes – un Code personnel, en somme. Cependant, voir comment nous pensons en tant que culture, comment nous nous comportons en tant que groupe à partir d'un kit de survie fourni à la naissance en tant qu'Américains, Anglais ou Français, nous permet de naviguer dans le monde avec une vision qui, jusque-là, nous faisait défaut.

Pour terminer, il existe une liberté supplémentaire qui vient aux Américains via l'inconscient culturel : C'est la liberté de rêver, de fuir le cynisme et le pessimisme, et de nous permettre d'imaginer les projets les plus audacieux pour nous-mêmes et pour notre monde.

Pour les Américains, rien n'est plus dans le Code.

## REMERCIEMENTS

Un livre est comme un enfant... avec beaucoup de parents inconnus. Je suis le parent connu, mais je voudrais reconnaître ma dette envers tous ceux qui ont soutenu mon travail, encouragé ma passion et qui m'ont donné l'espoir quand j'en avais le plus besoin.

D'abord mes deux fils, Lorenzo et Dorian. Lorenzo est français, né à Paris, Dorian est américain, né à Los Angeles. Ils sont tous les deux les exemples vivants du code culturel.

Ensuite, il y a celui qui a été au front avec moi, qui a creusé dans l'inconscient collectif, qui a planifié et réfléchi et qui, au bout du compte a écrit. Lou Aronica est beaucoup plus qu'un auteur. C'est un penseur et maintenant mon frère d'armes.

Tout ce travail n'aurait pas pu être accompli sans le soutien et l'encouragement de nombreux P-DG et présidents de certaines grandes entreprises. Un remerciement spécial va à A.G. Lafley (Procter & Gamble), à Jeff Immelt (GE), à Bob Lutz (Chrysler et ensuite GM), à Horst Schulze (ancien PDG du Ritz-Carlton), à Gary Kusumi (GMAC), et à John Demsey (Estée Lauder). Contre les habitudes et malgré les conformistes dans leurs équipes, ils m'ont fait confiance. Ensemble, nous avons fait un travail remarquable pour déchiffrer le Code des cultures.

Après trente ans passés à creuser au cœur de l'inconscient collectif, je veux remercier l'éditeur qui a compris qu'il y avait là des diamants. Des remerciements spéciaux à tout le monde à Doubleday Broadway et en particulier à mon éditrice, Kris Puopolo, dont les suggestions ont toujours été une stimulation créative et qui m'a aidé à identifier des meilleures façons, plus directes de communiquer la profondeur des choses.

Mon agent, Peter Miller, est mon « lion préféré » (c'est son Code), et il a lutté comme un lion pour ce livre. Scott Hoffman lui aussi sait comment rugir, et son aide a été sans prix.

# TABLE DES MATIÈRES


Avant-propos ........................................................ 11
Introduction ........................................................ 23

1. Naissance d'une notion ................................. 39
2. Les douleurs de croissance d'une culture adolescente ................................................... 61
3. Vivre sur l'axe ................................................ 97
4. D'abord survivre ............................................ 121
5. Au-delà du schéma biologique ....................... 149
6. Travailler pour gagner sa vie ......................... 175
7. Apprendre à vivre avec ................................. 201
8. Plus est mieux ................................................ 217
9. Mettez cet alibi sur ma carte Gold ................ 237
10. Pour qui ces parvenus se prennent-ils ? .......... 259
11. Partage de la mer Rouge en option ............... 275
12. Ne jamais grandir, ne jamais abandonner ...... 287

Remerciements .................................................... 299

*Ce volume a été composé par PCA*

*Impression réalisée sur CAMERON*
*par* ***Bussière***
*à Saint-Amand-Montrond (Cher)*
*en mars 2008*